Hess Homöopathisches Denken und Behandeln

Dr. med. Walter Hess

Homöopathisches Denken und Behandeln

Heilweise auf der Grundlage der individuellen Krankenphänomene

TRIAS THIEME HIPPOKRATES ENKE

Anschrift des Autors:
Dr. med. Walter Hess
Heinzengasse 12
D-7460 Balingen

Umschlaggestaltung:
B. und H. P. Willberg, Eppstein/Ts.

Umschlagzeichnung:
Friedrich Hartmann, Stuttgart

CIP-Titelaufnahme der Deutschen Bibliothek

Hess, Walter:
Homöopathisches Denken und Behandeln: Heilweise auf der Grundlage der individuellen Krankenphänomene / Walter Hess. – 3., überarb. u. erw. Aufl. – Stuttgart: TRIAS – Thieme Hippokrates Enke, 1988
Ausg. im Hippokrates-Verl., Stuttgart, u. d. T.: Hess, Walter: Homöopathische Hausapotheke

(Die vorausgegangenen Auflagen erschienen unter dem Titel ›Homöopathische Hausapotheke‹ mit der ISBN 3-7773-0896-X im Hippokrates Verlag innerhalb der Reihe »Hippokrates-Ratgeber«.)

Wichtiger Hinweis: Medizin als Wissenschaft ist ständig im Fluß. Forschung und klinische Erfahrung erweitern unsere Kenntnisse, insbesondere was Behandlung und medikamentöse Therapie anbelangt. Soweit in diesem Werk eine Dosierung oder eine Applikation erwähnt wird, darf der Leser zwar darauf vertrauen, daß Autoren, Herausgeber und Verlag größte Mühe darauf verwandt haben, daß diese Angabe genau dem **Wissensstand bei Fertigstellung des Werkes** entspricht. **Dennoch ist jeder Benutzer aufgefordert,** die Beipackzettel der verwendeten Präparate zu prüfen, um in eigener Verantwortung festzustellen, ob die dort gegebene Empfehlung für Dosierungen oder die Beachtung von Kontraindikationen gegenüber der Angabe in diesem Buch abweicht. Das gilt besonders bei selten verwendeten oder neu auf den Markt gebrachten Präparaten und bei denjenigen, die vom Bundesgesundheitsamt (BGA) in ihrer Anwendbarkeit eingeschränkt worden sind. Benutzer außerhalb der Bundesrepublik Deutschland müssen sich nach den Vorschriften der für sie zuständigen Behörde richten.

Rüdigerstraße 14,
D-7000 Stuttgart 30.
Printed in Germany
Satz: Fotosatz Sauter GmbH, Süssen
Druck: Druckerei Schäuble, Stuttgart

ISBN 3-89373-071-0 1 2 3 4 5 6

Inhalt

Vorwort

Die Menschen rufen nach mehr Menschlichkeit: Sie klagen, das Leben sei unmenschlich geworden. Man sollte lieber nachdenken: Das wesentlich Menschliche ist, daß wir miteinander sprechen. Wer glaubt, daß man die menschlichen Probleme technisch lösen könne, der wird seine Zeit nicht »mit Geschwätz vergeuden«, sondern »arbeiten«. Da verlernt man das Sprechen, und die Folge ist, daß die Leute »physikalisch« miteinander reden. Menschsein und Leben überhaupt beruhen darauf, daß die Teile sich verstehen. Kranksein beginnt damit, daß man sich nicht mehr versteht. Will man heilen, so fängt das mit Verstehen an. *Hahnemann* hat uns die Sprache der Arznei und des Krankseins gelehrt und beide Sprachen in der Simileregel miteinander verbunden: Jetzt haben wir für die Heilung festen Boden unter den Füßen. Die wesentlichen Symptome des Kranken teilen uns mit, welche Arznei wir zur Heilung brauchen.

Man versteht diese Sprache nicht von selbst, man muß sie lernen - und zwar sowohl der Arzt wie auch der Kranke. Es ist nicht schlimm, wenn man anfangs nicht viel versteht, aber man muß anfangen! Das Verständnis wächst schrittweise, - und den Anfänger begünstigt die Natur selbst. Wenn man begriffen hat, daß es für die eigene Leistung keinen Ersatz gibt, dann wächst auch die Ausdauer, so lange zu suchen bis man die rechte Arznei für den Kranken gefunden hat.

Diese Einsicht hat mich bewogen, meine Bedenken gegen die Selbstbehandlung aufzugeben und die homöopathische Hausapotheke zu wagen. Die Selbstbehandlung ergänzt die ärztliche Behandlung; die Gleichstellung von Arzt und Kranken ist zur Heilung notwendig. Man hat mir gesagt, diese Ansicht sei gefährlich; aber am gefährlichsten ist, die wirkliche Gefahr nicht zu erkennen. Die wirkliche Gefahr ist, daß der mündige Bürger von der technischen Übermacht entmündigt wird. Deshalb denke ich, daß der Mensch (das Individuum) ermutigt werden muß, seinem eigenen Geschmack und Gefühl, seinem eigenen Wissen, Urteil und Gewissen ebensoviel zuzutrauen wie amtlichen und anderen fremden Meinungen. Er soll im Kranksein den Mut haben, auf die eigene Natur zu achten und seine Empfindungen auszudrücken. Dann bleibt die Krankheit kein übermächtiges Schicksal, dem man hilflos ausgeliefert ist, sondern wird zum kranken Lebensvorgang, an dem man verantwortlich mitheilt.

Balingen, 1981 *Walter Hess*

Geleitwort zur zweiten Auflage

Die »Homöopathische Hausapotheke« hat ein erfahrener Arzt geschrieben. Beim Lesen tun sich unvermittelt Einsichten auf. Begriffe, um deren genaue Definition die Wissenschaft noch immer ringt, wie Gesundheit, Krankheit, Individuum, zwischenmenschliche Beziehungen u.a., scheinen ganz wie von selbst ihr Wesen und ihre Bedeutung gefunden zu haben. Die Begegnung des Arztes mit Anfang und Ende menschlichen Lebens wird dabei spürbar – nicht als Anklage gegen das Schicksal, mehr als Abgeklärtheit, als Ursache zur Sinnfindung des Daseins.

Die Aufgabe des Arztes »kranke Menschen gesund zu machen, was man heilen nennt« *(Hahnemann)*, erfordert diese Sinnfindung zuerst bei ihm, dem Arzt. Aber auch beim Patienten ist Bemühung unerläßlich. Gerade dies will Dr. *Hess* seinem Leser sagen. Und er sagt es ihm so, daß er es verstehen kann. Die Beispiele sprechen dabei ihre eigene Sprache.

Kritiker behaupten immer wieder, die Homöopathie sei Behandlung nicht von Krankheiten, sondern von Symptomen, von Krankheitszeichen. Wer das Buch zu Ende gelesen hat, wird Homöopathie (besser: Homöotherapie) anders einschätzen. Es ist eine Behandlung des einzelnen, der individuellen Persönlichkeit.

Nach noch nicht drei Jahren eine Neuauflage ist ein erfreuliches Zeichen. Erfreulich, weil es Leser, die dieses Angebot annehmen, in offenbar gar nicht geringer Anzahl gibt.

Stuttgart, 1983

Dr. *Gunther Seng*

Vorwort zur dritten Auflage

In dem neu hinzugefügten zweiten Kapitel, das mir der Verlag dankenswerterweise eingeräumt hat, habe ich mich abseits von den üblichen Worten um den lebendigen Geist der Homöopathie *Hahnemanns* bemüht. Wenn Sie sich von einem Hauch dieses Geistes anregen lassen zum eigenen gewissenhaften Beobachten und Denken, bin ich zufrieden.

Balingen, Frühjahr 1988 *W. Hess*

I Allgemeine Grundlagen

Die homöopathische Heilweise

Kranksein und Heilen

Seit den Zeiten des *Hippokrates* versteht man Gesundheit als Kräftegleichgewicht und Krankheit als Vorherrschaft einer Kraft. »Tritt eine von ihnen selbständig auf, dann wird sie erkennbar und bereitet dem Menschen Schmerz« *(Hippokrates).* Wenn der Mensch krank wird, so findet er etwas nicht recht, nicht in Ordnung; es »stimmt nicht«, es fehlt etwas. *Hahnemann* spricht von verstimmter Lebenskraft, die sich in Symptomen ausdrückt. Medizinisch übliche Bezeichnungen sind Dekompensation, Insuffizienz und Dysfunktion. Die Aufgabe ist, das Gleichgewicht zu finden, den Kranken gesund zu machen (§ 1). Was wir dazu wissen müssen, erfahren wir von der erscheinenden Wirklichkeit. *Hahnemanns* Beobachtungen und seine daran anschließenden Überlegungen finden sich in der »Reinen Arzneimittellehre«[1] und dem Werk »Chronische Krankheiten«[2]. Auch Homöopathie erlebt und erlernt man am besten an der Quelle. Stören Sie sich nicht an der alten Sprache und an den Variationen ähnlicher individueller Symptome. Lassen Sie sich davon lieber zum vorurteilslosen eigenen Beobachten anregen, dann werden Sie in ein heilsames Gespräch mit der Natur selber kommen. Wer die individuell erscheinende Wirklichkeit ablehnt, verdrängt und bekämpft, wird für ihre Botschaft taub. Die im Text angegebenen Paragraphen (§) finden sich in *Hahnemanns* »Organon der Heilkunst«.[3]

1) Hahnemann: Reine Arzneimittellehre
2) Hahnemann: Chronische Krankheiten
3) Hahnemann: Organon der Heilkunst

Die zwei Grundeinstellungen

Die heilende Einstellung (Freundschaft). Wer zur Gesamtwirklichkeit gehört, der *hört* auf seine Aufgabe. Die echte Aufgabe unterscheidet sich vom äußeren Befehl; ihre größte Schwierigkeit ist, daß sie vom inneren Gesetz nur angedeutet wird und der Mensch selbst zwischen der inneren Weisung und den äußeren Weltansprüchen recht entschciden muß, d.h. so, daß die Entscheidung beiden Seiten genügt. Das innere Gesetz (Erbanlage, Konstitution, Erstprägung, *s.S. 42*) ist nur bis zu diesem Augenblick bestimmt. Die zukünftigen Augenblicke sind nicht durch die voraufgehenden eindeutig festgelegt *(Ortega y Gasset).* Über seinen nächsten Schritt in die Zukunft muß das einsame Individuum hier und jetzt entscheiden. Das ist die eigentliche Schwierigkeit im Leben. Der Mensch geht der eigenen Verantwortung am liebsten aus dem Weg.

Im entscheidenden Augenblick ist die notwendige Antwort auf die einen angehende Frage eher die Ausnahme als die Regel. Man weicht der unangenehmen Wirklichkeit aus und begrüßt erleichtert einen ähnlichen Irrtum bei einer andern Kraft. Dadurch entsteht ein Ungleichgewicht, das *Hahnemann* als verstimmte Lebenskraft bezeichnet. Wo die Natur mit einem Mißverhältnis nicht stillschweigend zurechtkommt *(s.S. 13),* wendet sie sich mit den Symptomen an das individuelle Bewußtsein. Ist der Mensch auf Heilung eingestellt, so nimmt er in den Symptomen das zu Heilende wahr und findet durch die ähnlichen Arzneisymptome die heilende Arznei: Similia similibus curentur - man soll die heilende Arznei nach der Symptomähnlichkeit erkennen und anwenden (Simile-Prinzip).

> Die rechte Arznei behebt alle bei dem Kranken jetzt zu heilenden Symptome (relative Heilung).

Die teilende Einstellung (Feindschaft). Wer nicht zur Gesamtwirklichkeit gehört, der hört seine Aufgabe nicht. Tritt man aus dem Ganzen aus, so wendet sich die Aufmerksamkeit den Teilen zu. Die Wirklichkeit wird geteilt in das, was lieblich anzusehen ist, und in das Störende, Böse. »Die ersten Entdecker glaubten, daß überall das stark Wirkende schade, das, was stärker sei als die menschliche Natur, und das suchten sie zu beseitigen« *(Hippokrates).* Die Kräfte erleben sich als Feind; sie beharren auf ihrem Standpunkt und suchen sich zu beseitigen.

Nach diesem gegenwärtig herrschenden Weltprinzip richtet sich auch die Medizin: Contraria contrariis curantur - was meiner Privatordnung widerspricht, wird gewaltsam »in Ordnung« gebracht oder zerstört. Nach diesem »Anti-(Gegen-)Prinzip« gibt man gegen Fieber Antipyretika, gegen Bakterien Antibiotika, gegen Krämpfe Spasmolytika, und alle Arten von Unannehmlichkeiten werden betäubt. Mit dieser feindlichen Einstellung gegenüber den Krankheitserscheinungen spaltet man die verstimmten Kräfte noch mehr, anstatt ihre natürliche Auseinandersetzung und Abstimmung zu unterstützen. Der Mensch richtet sich somit zunehmend in örtlichen und vergänglichen Gleichgewichten ein, die durch fortdauernde Anstrengungen erhalten werden müssen: das ist die chronische Krankheit (§ 72). Aus oft unbemerkten Anfängen entfernt sich der Mensch immer weiter vom gesunden Zustand. Die Verstimmung wächst und endet in der Zerstörung, wenn der Prozeß nicht durch Heilung endet und sich umkehrt *(s. S. 80)*. Solange die verstimmte Lebenskraft mein Bewußtsein noch mit ihren Symptomen anspricht, solange ich höre, ist die Heilung möglich. Jenseits dieses Punktes kann man nur das künstliche Gleichgewicht technisch stützen, mit zunehmenden Schwierigkeiten und Kosten.

Auch bei chronischen Krankheiten wird die heilende Arznei durch die gegenwärtig erscheinenden Symptome angezeigt. Rechte Vorstellungen, bei denen die jetzt erscheinende Wirklichkeit den zentralen Platz einnimmt, helfen zur rechten Einstellung, von der es abhängt, ob ich die mich angehenden Symptome wahrnehme und in Arznei verwandle.

> Bei der chronischen Krankheit gewinnen allerdings die früheren, nicht geheilten Symptome, die in meiner Erinnerung in diesem Augenblick auftauchen, zunehmende Bedeutung.

Ein Schlüsselerlebnis

In Urlaubsvertretung wurde ich zu einem Mann mittleren Alters gerufen. Er hatte fünf Wochen vorher eine Lungenentzündung gehabt, die man nach den Regeln der Kunst mit Penizillin behandelt hatte. Innerhalb eines Tages war er fieberfrei, alle objektiven Befunde waren nach drei bis vier Wochen in Ordnung. Der Patient fühlte sich jedoch »einfach nicht gesund«. Er litt an Schweißausbrüchen, Müdigkeit, Appetitlosigkeit, Schlafstörungen, hatte keine Kraft, keinen Schwung. Auf Anweisung des Vertrauensarztes ging er zur Arbeit, erkrankte aber nach acht Tagen erneut mit Fieber und blutigem Auswurf. Ich stellte eine Lungenentzündung an der alten Stelle fest und wollte in Vertretung des Kollegen wieder Penizillin verordnen. Zufällig hatte ich jedoch im gleichen Haus zu gleicher Zeit einen gleichaltrigen Mann, der auch an Lungenentzündung erkrankt war, homöopathisch behandelt, und dieser war nach sieben Tagen Fieber und 14 Tagen Erholung gesund zur Arbeit gegangen. Der Kranke bestand nun entschieden darauf, auch »so behandelt« zu werden. Ich gab zu bedenken, daß er dann wohl seine sieben Tage Fieber auf sich nehmen müsse – er war bereit. Nach sieben Tagen war er fieberfrei und hatte Appetit. Nach weiteren 14 Tagen ging er von sich aus zur Arbeit.

Es mag sein, daß man zu Beginn der homöopathischen Behandlung die Unannehmlichkeiten der Krankheit wie Fieber, Husten, Schmerzen, Schwäche oder Herzklopfen auf sich nehmen muß. Beseitigt man jedoch die natürlichen Schwierigkeiten, so versäumt man manchmal die Heilung.

Die natürliche Selbstheilung

Die älteste, zuverlässige und maßvollste Heilkünstlerin ist die Natur selbst. Sie hat das Leben in Jahrmillionen entwickelt und verwirklicht, ehe der homo sapiens die naturwissenschaftliche Technik erfand. Sie hat auch die Forderung der Reichsversicherungsordnung nach einer wirtschaftlichen, das Maß des Notwendigen nicht überschreitenden Therapie erfüllt, bevor sie erlassen war. Die Naturleistung ist die Grundlage der Heilkunst. »In der ärztlichen Wissenschaft gibt es auf diese Weise auch für die Ärzte einen Weg« *(Hippokrates).* Wir müssen die Naturleistung nicht ersetzen, sondern durch die Heilkunst ergänzen. Die Naturleistung unserer Kunst gutzuschreiben, wäre unwissenschaftlich.

Die Natur heilt zunächst allein und still. Das menschliche Bewußtsein wird erst unterrichtet, wenn es sich an der Arbeit des Heilens zu *beteiligen* hat. Alle Vertreter der natürlichen Heilmethode von *Hippokrates* bis *Hahnemann* stimmen darin überein, daß es weise sei, mit höchster Aufmerksamkeit auf die Zeichen (Symptome) der Natur zu hören, sie recht zu verstehen und sich nach ihrer Weisung zu richten. Zur Ehrfurcht vor dem Leben gehört, daß man seine Einstellung zur Natur von Gewalttätigkeit frei hält: »Was Natur dem Geist nicht offenbaren mag, das zwingt man ihr nicht ab« *(Goethe).*

Das Grundverhältnis zur Natur ist das von Mutter und Kind. Das Kind hört genau, schnell und wirksam; es versteht von selbst und folgt ohne Umstände. Kinder brauchen gewöhnlich nicht mehr Zeit, um gesund zu werden als Erwachsene, um zu merken, daß sie krank sind. Die Erwachsenen hören schlechter; sie verstehen die Natur nicht mehr von selbst, man muß ihnen alles erklären *(Exupéry).* Sie denken an ihre Pläne, Absichten und Unternehmungen. Je mehr sie sich mit der Natur entzweien, desto schwerer begreifen sie. »Sie verstehen es nicht; auch wenn sie es vernommen haben, so sind sie wie Taube« *(Heraklit).* Man hat sie außerdem gelehrt, hart zu sein, nicht wehleidig und nicht wegen jeder Kleinigkeit zum Arzt zu laufen. Die einen helfen sich mit Kopfwehtabletten, Kaffee und Alkohol »über die Runden«, die anderen bewundern ihre eigene »Härte«. Schließlich gibt es Kranke, die sich vom Netz der sozialen Sicherheit vorsorglich, freiwillig und so früh wie möglich aufnehmen lassen, um »Schlimmeres zu verhüten«.

Diese verschiedenen Verhaltensweisen sind jedoch kein Ersatz für das rechte Hören.

> Wer nicht glaubt, daß die Natur ihn rechtzeitig, genau und ausreichend unterrichtet, der ist nicht im entscheidenden Augenblick aufmerksam.

Die Selbstbehandlung

In der offiziellen Medizin ist für die Selbstbehandlung kein Platz: Der Kranke erhält Anweisungen vom *Arzt,* der untersucht und behandelt. Selbstbehandlung wird in Bagatellfällen geduldet nach den Gebrauchsanweisungen, die den Arzneimitteln beigepackt sind. Hier kann der Kranke lesen, wogegen die Tabletten helfen und wie sie einzunehmen sind.

Zur wirklichen Heilung muß der Kranke nicht zuerst auf den Fachmann hören, sondern auf seinen eigenen inneren Maß- und Ratgeber. Er kann nur geheilt werden, wenn er selbst *voll* mitmacht. Für die Eigenleistung gibt es keinen Ersatz. Substitution und Suppression sind nur zulässig, wenn die notwendige eigene Fähigkeit fehlt.

Der Kranke ist vom Kranksein *ganz* betroffen. Er erlebt unmittelbar und teilt mit, nicht nur in Worten, sondern auch in Zeichen, Gebärden, Symptomen und Verhaltensweisen (»Organsprache«). Vom Kranken kann der Arzt die eigentlichen, wesentlichen Symptome erfahren, die auf die Heilung hinweisen. Diese Symptome wahrnehmen und ausdrücken: Dazu will diese Hausapotheke anleiten.

Zur Eigentätigkeit gehört, daß der Mensch sich für die Heilung mitverantwortlich fühlt und entsprechend eingestellt ist: »Was muß ich tun, was muß ich anders machen, damit ich wieder gesund werde?« Der mündige Kranke geht selbst den Weg der Heilung, der Arzt ist bei ihm »Entwicklungshelfer«: Er hilft zur Selbsthilfe. Dabei muß er auf die Eigenleistung achten und auf ihr aufbauen, darf sie also nicht durch seine »Kunst« ersetzen. Der Kranke, der mit-heilt, ist erwachsen: entsprechend wächst das Vertrauen zwischen dem Kranken und seinem Arzt. Man muß also nicht unbedingt Medizin studieren, um der Abhängigkeit vom »Krankheits-Fachmann« zu entwachsen; man kann mitbestimmen.

Das Wesentliche an der homöopathischen Behandlung ist, in den Krankheitserscheinungen unmittelbar die entsprechende heilende Arznei zu erkennen. Den gesetzmäßigen Zusammenhang zwischen den wesentlichen Symptomen des Krankseins und der heilenden Arznei erleben Sie beispielsweise, wenn Ihr Kind bei trockenem, kalten Wind draußen war, abends mit rotem Gesicht, trockener Haut, frierend, ängstlich und unruhig heimkommt, gleich ins Bett will. Dieses *plötzliche* Krankwerden entspricht Aconit. Haben Sie diese Erkrankung und die entsprechende Heilung auf Aconit D6 einige Male erlebt, so haben Sie die homöopathische Heilweise begriffen. Nach einiger Zeit lernen Sie dazu: Sobald bei Ihrem Kind der Schweiß ausbricht, ist die Zeit des Aconit vorbei und Belladonna D6 ist an der Reihe *(s.S. 22).* So wächst Ihr Arzneiwissen in dem Kreis, der Sie angeht. Den Umgang mit den »Fieberkügelchen« lernt die Mutter schnell; Dennoch gilt:

Überschreiten Sie Ihre Grenzen nicht!

Die ärztliche Behandlung

In unserer wissenschaftlich-technischen Zeit glauben die meisten Kranken und Ärzte wie selbstverständlich daran, daß dem gestörten Befinden ein krankhafter Organbefund zugrunde liegen müsse, den am besten der Facharzt feststelle. Hat der Kranke z.B. Bauchschmerzen, so sucht man nach der Ursache (z.B. nach Blinddarmentzündung oder Krebs). Der Krankheitsdiagnose folgt die Therapie nach den geltenden Regeln, im Falle der Blinddarmentzündung also die Operation. Ist die »Ursache« entfernt, so ist der Mensch wieder gesund.

In der täglichen Praxis enttäuscht diese kausale Theorie. So findet man z.B. nicht zu jeder Beschwerde des Kranken einen Organbefund, oder die entsprechende Behandlung heilt ihn nicht bzw. verursacht anderweitige Beschwerden. Die subjektiven Empfindungen, Gefühle und Vorstellungen des Kranken gelten in der wissenschaftlichen Medizin als unzuverlässig. Der Kranke selbst merkt gerade bei seinen *wesentlichen* Symptomen, daß sie sich nicht objektivieren (projizieren) lassen; er bietet sie an und fragt entschuldigend: Kann das sein? Wird er dann vom Arzt nicht ernstgenommen, so lernt er zu sagen, was dieser hören will und behält seine »minderwertigen« Symptome für sich. In der somatischen Medizin werden die Klagen und Beschwerden des Kranken nur als Hinweis bei der Suche nach objektiven Befunden gebraucht; bei der Vorsorge-Untersuchung sind sie beinahe entbehrlich.

Den kritisch denkenden Kranken und Arzt beschleicht der tiefe Zweifel, ob das Subjektive am Kranksein unwesentlich sei. Diesem Zweifel entspringen Psychosomatik und Soziologie, die sich dem menschlichen Kranksein wieder zuwenden. Das Problem bleibt hier allerdings, daß somatische und psychische Krankheit getrennt behandelt werden müssen, obwohl die geteilte Behandlung nicht der Heilung half (»individuelle« Grundlagenkrise der Heilkunde).

Hahnemann hat schon vor 180 Jahren dieses Problem gelöst. Er sah wie *Goethe* in den Phänomenen selbst die Lebenswirklichkeit und in den individuellen Symptomen eine Mitteilung der »verstimmten Lebenskraft« an das menschliche Bewußtsein: »Was der Arzt zur Heilung wissen muß, legt der Herr des Lebens vor seine Sinne.« Oder psychosomatisch ausgedrückt: »Höre auf den Patienten, er sagt dir die Diagnose« *(Balint)*. Wenn wir warten wollen, bis wir naturwissenschaftlich exakt heilen können – dazu gehört die Kenntnis der ganzen Natur der Krankheit und der Arznei –, dann müßten wir praktischen Ärzte verzweifeln. *Hahnemann* bezog die Zeichen der Arznei und die Symptome des kranken Menschen aufeinander und zeigte, daß man damit heilen kann (Simile-Regel). Seine Vorstellungen konnten sich jedoch gegen das teilende Denken nicht durchsetzen.

Die klinische Medizin glaubt an den Kausalzusammenhang von schädigender Einwirkung und nachfolgender Krankheit; sie muß also die »Ursache« suchen und beseitigen. Alle individuellen Heilweisen, ganz besonders die

Homöopathie, glauben, daß sich die Lebewesen alles Wesentliche gegenseitig mitteilen; sie müssen die richtigen von den falschen Nachrichten unterscheiden, um sich richtig verhalten zu können. Ich teile die Meinung von *Schäfer:*

> Das Befinden des Kranken »ist der weitaus verläßlichste Leitstern« zum Verstehen und Heilen.

Die klinische Medizin

Wenn bei einer Krankheit eine »sie offenbar veranlassende oder unterhaltende Ursache vorliegt, so wird jeder verständige Arzt sie zuerst entfernen« (§ 7). Die kausale Methode ergibt sich aus der Wirklichkeit der menschlichen Umwelt. In diesem verhältnismäßig nahen Bereich sind kausale Einzelvorgänge nicht nur täglich wahrzunehmen und auszuführen, sondern haben im Rahmen der wissenschaftlich-technischen Entwicklung eine übermächtige Bedeutung gewonnen. Das menschliche Bewußtsein wurde seit einigen Jahrhunderten durch die Erkenntnis der chemisch-physikalisch-mathematischen Gesetzmäßigkeiten so fasziniert, daß es verzeihlich erscheint, wenn die lokale kausale Erfahrung verallgemeinert wurde.

Dazu kommt, daß der klinischen Medizin durch Wissenschaft und Technik beinahe unbegrenzte Möglichkeiten erschlossen wurden. Wer hätte es früher für möglich gehalten, daß die Technik menschlichem Leben den vorübergehenden Aufenthalt im Weltraum, auf dem Mond und in der Tiefsee ermöglichen würde? Wer hätte geglaubt, daß man zunehmend Organtätigkeiten durch technische Mittel wie Herzschrittmacher, Blutgefäßersatz, Gelenkprothesen ersetzen könnte? Selbst klinisch Tote hat man mit den modernen Wiederbelebungstechniken »auferweckt«.

Aber auch wenn man »nur« den alltäglichen klinischen Weg vom subjektiven Befinden zum objektiven Befund verfolgt, vom Befund zur Diagnose und möglichst bis zur Ursache; so wird eine imponierende Leistung sichtbar. Daß man heute im Idealfall den Krankheitserreger feststellen, beseitigen und damit die Krankheit beenden kann, ist ein echter Triumph des kausalen Denkens. Dies wurde nicht nur von den Ärzten, sondern auch von den Kranken so empfunden. Inzwischen wird die »objektive Sicherheit« durch die beängstigende Unberechenbarkeit der Risiken der modernen Technik in den Schatten gestellt (Umweltverschmutzung, Strahlengefahren, Genmanipulation, Aids). Die Naturwissenschaft wäre beinahe vollkommen, wenn es nicht einige praktische Schwierigkeiten und Nebenwirkungen gäbe, die ihre Grenzen anzeigen.

Da die klinische Medizin selbst diese Nebenwirkungen untersucht, veröffentlicht und bekämpft, will ich meine Kritik auf den wesentlichen Punkt beschränken: Überall, wo die Kunsthilfe durch Verabreichen von im Körper fehlenden Substanzen (Substitution) oder durch Unterdrückung (Suppression) von Immunreaktionen das Maß des Notwendigen überschreitet, vermindert sie die Eigentätigkeit. Die verstimmten Eigenkräfte müssen sich aber selbst in der natürlichen Auseinandersetzung einigen, damit jede Kraft ihren Platz findet. Ersetzt man diese Eigenleistung durch äußere Hilfe, so wird ein künstliches Gleichgewicht hergestellt, aber auf die Dauer übersteigt die erforderliche Ersatzleistung unser Vermögen.

Wenn sich dann die Überforderung in der chronischen Krankheit offenbart, mögen Arzt und Kranker meinen, man habe getan, was man konnte. In Wirklichkeit wurde das einzig Notwendige versäumt: die volle, rechtzeitige Eigenleistung.

Hahnemanns Leistung

Der Arzt *Chr. Fr. Samuel Hahnemann,* geboren 1755 in Meißen, gestorben 1843 in Paris, wendete seine beständige und volle Aufmerksamkeit der Frage zu: Wie kann ich den kranken Menschen schnell, sicher und angenehm heilen, ohne ihn kränker zu machen als er ist? Er zeigte, wie man die Sprache des kranken Menschen hört, das zu Heilende an der Krankheit versteht und in Worte faßt. Er zeigte - was ich für wichtiger halte -, wie wir die Sprache der einzelnen Arzneien hören, das Heilende an der Arznei verstehen und in Worte fassen können. Er zeigte schließlich, mit welcher Arznei wir den einmalig kranken Menschen ansprechen können und bestimmte die Arznei als *Entsprechung.* Dies formulierte er in der Simile-Regel *(s. S. 11).* Daß ein Lebewesen auf die Arznei anspricht, zeigt, daß es die Sprache dieser Arznei versteht. Wenn wir keine Arznei finden, die vom Organismus verstanden wird, dann »sprechen« wir physikalisch-chemisch mit »Objekten«.

Die Sprache des kranken Menschen

Es gibt Forscher, die uns die Sprache der Bienen gelehrt haben; vielleicht werden wir eines Tages die Sprache der Delphine, Vögel oder Zellen verstehen. *Hahnemann* hat seine Aufmerksamkeit auf die Sprache des kranken Menschen gerichtet, und zwar nicht als Dichter, Phantast oder Theoretiker, sondern als wissenschaftlicher Arzt, der als »ärztlicher Beobachter« sich die Aufgabe gestellt hat, »die Erscheinungen bei den natürlichen Krankheiten sowohl als bei den durch Arzneien in ihrer Prüfung am gesunden Körper künstlich erregten Krankheitszuständen genau und treffend wahrzunehmen und mit den passendsten, natürlichen Ausdrücken zu bezeichnen.« Der

Beobachter müsse sich »an den Gegenstand mit aller Fassungskraft anheften, damit ihm nichts entgehe«; er müsse seine Fähigkeit, die Gesamtheit der Symptome wahrzunehmen und zu beschreiben, lebenslang üben; die Fähigkeit, genau zu beobachten, »muß größtenteils durch Übung erlangt werden«. Es ist müßig, darüber zu streiten, ob die subjektive Gewissenhaftigkeit einen höheren oder geringeren Rang hat als die objektiv naturwissenschaftliche Feststellung, - beide garantieren nicht, daß die Vorstellung mit der Wirklichkeit übereinstimmt. Aber ein grundsätzlicher Unterschied fällt auf: Die herrschende Wissenschaft sucht nach den objektiven Befunden, die Kranke gemeinsam haben, das macht die »Krankheit« aus.

Warum das so wichtig ist, werden Sie verstehen, wenn wir zur »Arzneisprache« kommen, die vom kranken *Organismus* verstanden werden muß, wenn die Arznei heilen soll.

Hahnemann legt größten Wert auf jene individuellen Krankheitserscheinungen, die diesen kranken Menschen von anderen Kranken unterscheiden.

Die Sprache der Arznei

Hahnemann schrieb: »Du mußt, dachte ich, die Arzneien beobachten, wie sie auf den menschlichen Körper einwirken, wenn er sich auf dem ruhigen Wasserspiegel seiner Gesundheit befindet. Die Veränderungen, die die Arzneien im gesunden Körper anrichten, müssen doch eine Bedeutung haben. Vielleicht sind die Veränderungen und Empfindungen, die jede Arznei im gesunden Organismus hervorbringt, die einzigen vernehmlichen Laute, die sie dem vorurteillosen Wahrnehmer aussprechen kann über ihre spezifische Tendenz, über ihre eigentümliche, reine, positive Kraft, mit der sie den Körper umzustimmen vermag«. *Hahnemann* stellte seine Fragen als willig hörender, aber kritischer Beobachter. Man hält heute den Doppelblindversuch für zuverlässig, aber für das echte Gespräch sind die individuellen Beziehungen und das Vertrauen unersetzlich. *Hahnemann* schrieb zur Arzneiprüfung: »Hier allein ist es für den Anfänger möglich, rein, richtig und ungestört beobachten zu können, da er weiß, daß er sich nicht selbst täuschen wird, niemand ihm etwas Unwahres vorsagt, und er von sich selbst fühlet, siehet und merkt, was an und in ihm vorgeht.« Ich halte die subjektive Genauigkeit auch in der kausalen Wissenschaft für unersetzlich, die Methode allein gibt keine Sicherheit dafür, daß die Ergebnisse stimmen. Wir sind nicht imstande, die unendlich komplexen Systeme und Beziehungen willkürlich nachzuprüfen:

Wir können nur die gegebenen Nachrichten (Symptome) kritisch auswerten und danach über unser Verhalten entscheiden. Die Nachprüfung der homöopathischen Genauigkeit geschieht durch die Praxis.

Arzneiähnlichkeit

Weil die »wirklichen« Beziehungen zwischen dem kranken Menschen und seiner Arznei unbekannt sind, ist der Zusammenhang über die Symptome zu finden. Da es auf die genaue Beobachtung der wirklichen Erscheinungen bei der Arznei und beim Kranken ankommt, dürfen die Beobachtungen nicht durch Abstraktionen, Verallgemeinerungen, theoretische Bilder ersetzt werden. In der Arzneiprüfung fragt das menschliche Bewußtsein die Natur mit einer bekannten Arznei und die Natur antwortet mit ihren Zeichen; bei der Behandlung übersetzt dasselbe Bewußtsein die (gegenwärtigen) Symptome in die passende Arznei und spricht mit ihr die Natur an.

Aus dieser Grundanschauung der homöopathischen Heilweise ergibt sich wie selbstverständlich manche sprachliche Eigenart; ich bitte dafür um Nachsicht und Verständnis. Der kranke Mensch wird unwillkürlich mit dem Namen seiner augenblicklichen Arznei bezeichnet. Man sagt also z.B.: Aconit hat ein rotes trockenes Gesicht und sagt seine Todesstunde voraus. Diese Sprache ergibt sich von selbst, sobald man an die Symptom-Ähnlichkeit von Arznei und krankem Menschen, das »Simile«, erkennt.

Das Simile-Prinzip. *Hahnemann* erlebte den Zusammenhang zwischen Arzneizeichen und Krankheitssymptomen erstmals bewußt, als er die Chinarinde an sich selbst prüfte. Sie erzeugte bei ihm Krankheitserscheinungen, die denen ähnlich waren, die in der damaligen Zeit mit Chinarinde behandelt wurden. Das war die Geburtsstunde des Simile-Prinzips. Die Krankheit ist mit kleinen Dosen der Arznei zu behandeln, die in großen (giftigen) Gaben ein *ähnliches* Krankheitsbild hervorruft. Die Wirklichkeit dieses Zusammenhangs muß man selbst erleben.

Die Ähnlichkeit ist der springende Punkt in der homöopathischen Behandlung und damit ihre größte Schwierigkeit. Die äußere Ähnlichkeit kann man noch leidlich technisch abbilden, aber die Ähnlichkeit zwischen dem ursprünglichen Arzneisymptom und der vorurteillos aufgenommenen Krankheitserscheinung muß subjektiv gewissenhaft erkannt werden *(vgl. s. 33).*

Fangen Sie mit *der* Ähnlichkeit an, die Sie begriffen haben, z.B. mit Aconit und Belladonna für »Fieber«, Cocculus für Autofahrkrankheit, Cepa für Schnupfen und Ambra für Schlaflosigkeit (sogenannte bewährte Indikationen). *Aber bleiben Sie nicht bei diesen Anfängen stehen.* Nur wer täglich Arzneikenntnis und Beobachtungsfähigkeit am kranken Menschen *entwickelt,* wird weiter kommen.

Die homöopathische Praxis

Arzneifindung

Wir müssen ausgehen von dem natürlichen Zusammenhang zwischen Arzneierscheinung und Krankheitserscheinung (Simile-Regel). Die Küchenzwiebel (Allium Cepa, Cepa) *verursacht* z.B. einen wäßrigen Ausfluß aus Nase und Augen, die Schleimhäute brennen. Im Freien wird der Reiz besser, Cepa *hat* in der Sprache der Arzneimittellehren Fließschnupfen, brennenden wundmachenden Ausfluß aus der Nase, milde Tränen. Diese Beschwerden werden im warmen Zimmer schlimmer, im Freien besser. Bei einem Fließschnupfen dieser Art *geben* Sie Cepa D6 Tabl., alle 2 Stunden 1 Tabl. An der Arzneiwirkung lernen Sie, welche Schnupfenformen gut und welche weniger auf Cepa ansprechen.

Man muß also Arzneibilder lernen, Krankheitserscheinungen beobachten und in diesem lebendigen Zusammenhang von Theorie und Praxis den Verstand für die Krankheit und ihre Behandlung wachsen lassen.

Arzneisymptome

▶ Aconitum Napellus (Acon., Blauer Eisen- und Sturmhut)

Aconit, das *erste* Mittel für die Selbstbehandlung, hat seine beste Wirkung bei plötzlichen, stürmischen, heftigen Krankheiten, besonders bei plötzlichem abendlichem Fieber, rotem Gesicht, trockener Haut, Unruhe, Angst. Sie merken sich einfach: Plötzlich, heftig, abends, rot, trocken, unruhig, ängstig. Nehmen Sie dann aus Ihrer Hausapotheke Aconit D6 Globuli, geben 5 Kügelchen auf die Zunge und lassen sie zergehen. Mit Rücksicht auf das begrenzte menschliche Gedächtnis legen Sie sich einen alphabetischen Ordner an, bei dem Sie unter Aconit die Krankheitszeichen eintragen, wenn Sie eine neue Seite des Aconit-Bildes kennenlernen oder beobachten: So wächst Ihnen das Verständnis für Aconit schrittweise. Nach einiger Zeit werden Sie dem Krankheitssturm, der Sie und Ihr Kind in Angst versetzt hat, gelassener und vorbereitet begegnen: Mit Aconit D6 Globuli, 5 Kügelchen auf die Zunge.

Arzneigabe

Der Arzneistoff kommt entweder unmittelbar in der Natur vor, oder er wird, - wie meist bei Pflanzen - im Ganzen oder aus Teilen (Blüten, Blättern, Wurzeln, Früchten) mit Alkohol ausgezogen (Urtinktur). *Hahnemann* fing vor 180 Jahren an, die vorhandenen Arzneistoffe zu verarbeiten. Jeweils 1 Tropfen Urtinktur verdünnte er mit 9 Tropfen Alkohol. Diese Verdünnung 1:10 wird als D1 bezeichnet (decem = 10, D1 ist also die 1. Zehnerpotenz, Dezimalpotenz). Schüttelt man 1 Tropfen von D1 wieder mit 9 Tropfen Alkohol, so bekommt man die 2. Zehnerpotenz: D2 dil. So kann man weitermachen, solange man will: D3, D4 usw.

Die am häufigsten benützten Potenzen sind D6, D12, D30, D200. *Hahnemann* beobachtete, daß die Arzneiwirkung bei steigender Verdünnung merkwürdigerweise nicht abbnahm, sondern sich sogar steigerte. Er hat aus diesem Grund die Verschüttelung der Arznei nicht als Verdünnung verstanden, sondern als einen die Arznei wirksamer machenden Vorgang (Potenzierung). Dementsprechend verwendete er später höhere Potenzen (sogenannte Hochpotenzen): Wenn man 1:100 verdünnt (1 Tropfen Urtinktur auf 99 Tropfen Alkohol), bekommt man die erste Hunderterpotenz (C - centum = hundert), sie wird als C1 aufgeschrieben. Man kann Reihen von Hunderter-Potenzen herstellen (Centesimalpotenz): C1, C2, C3 usw. LM-Potenzen, besser Q-Potenzen (von lat. quinquaginta = 50 und mille = 1000) sind 50000er - Potenzen, die von einer C3-Verreibung ausgehend, schließlich eine Verdünnung von 1:50000 erreichen. Von Q1 gehen die weiteren Potenzierungen (Q2, Q3 usw.) aus. Ich habe Verständnis dafür, daß jemand, der die Mengenlehre für die einzige Grundlage der Wirklichkeit hält, materiell meßbare Arzneidosen braucht; der kann gern Aconit D3 oder D4 Glob. nehmen. Wem die informative (»geistartige«) Arzneiwirkung keine Denkschwierigkeiten bereitet, kann dem Vorschlag folgen, Aconit D30 Glob. zu nehmen und erleben, daß es damit noch besser geht.

Unlösliche Stoffe kann man nicht lösen. Man muß sie mit Milchzucker verreiben, um sie feiner zu verteilen. Das Pulver könnte man unmittelbar auf die Zunge geben, meist wird das Pulver jedoch zu Tabletten gepreßt. Sinn der Verreibung ist wie bei der Lösung die feinere Verteilung der Arznei. D1 Tabl. bedeutet also, daß 1 Teil des Grundstoffes mit 9 Teilen Milchzucker verrieben wurde und das Pulver in eine Tablette gepreßt ist. Die Kügelchen sind aus Milchzucker hergestellt und werden mit der angemessenen Menge einer Arzneilösung zusammengebracht, so daß die angegebene Menge der einer Lösung entspricht.

Die homöopathische Arznei wird unmittelbar auf die Zunge gegeben, gleichgültig ob das Tropfen, Tabletten oder Kügelchen sind. Da die Arznei von der Schleimhaut des Mundes aufgenommen wird, spielt es auch keine Rolle, wenn der Kranke erbricht.

Solange die Besserung sich fortsetzt, gibt man *keine* Arznei, auch eine vorübergehende leichte Verschlimmerung ist kein Grund, die Arzneigabe zu wiederholen. Die nächste Arzneigabe muß man sich durch die Symptome selbst anzeigen lassen. Nehmen die Symptome über *einige* Tage wieder zu oder treten *neue* Krankheitserscheinungen auf, muß geprüft werden, ob eine Wiederholung der alten Arznei angezeigt ist, oder ob eine neue nötig wird.

Ein *Hauptfehler* ist die häufige Arzneigabe und der unbegründete Arzneiwechsel *(Hahnemann).*

Arzneiwirkung

(Beobachtung des Krankheitsverlaufes)

Beim akuten Fiebersturm gibt man 5 Kügelchen Aconit D6. Zuerst mildert sich die Angst, entsprechend wird auch die Angst der Umgebung geringer. Kommt nach 1–2 Stunden der Schweiß, so ist der größte Sturm vorüber, und oft ist jetzt Belladonna D6 an der Reihe.

Wer glaubt, daß die Homöopathie eine phänomenologische Wissenschaft ist, wird seine Aufmerksamkeit bei den Symptomen haben, – beim Kranken, bei der Arzneiprüfung und nach der Arzneigabe. Wem die Symptome wichtig sind, der wird lernen, Symptome wahrzunehmen. Er wird nach der Arzneigabe bemerken, was sich ändert: ob ein Symptom bleibt, zurückgeht, oder neu auftritt (§ 104).

Ein Kranker, der wegen Verwirrung und Selbstmorddrohung in die Nervenklinik verlegt werden sollte und dessen Frau mich dringend bat, die Behandlung zu übernehmen, zeigte als auffallende Symptome: fehlenden Schmerz bei sechs Rippenbrüchen, Heißhunger, der beim ersten Bissen verging, diktatorische Eigensinnigkeit, unsinnige Verdächtigungen gegenüber seiner Frau.

Ich gab Lycopodium LM VI. Seine Frau war am andern Morgen glücklich: »Er ist wieder normal.« Der Kranke war sehr unzufrieden: Er spürte seine gebrochenen Rippen wieder; der Hunger war nicht zu stillen; er sah ein, daß er seine Frau beleidigt hatte. Von seinen angenehmen Wahnideen war er in die arme, unangenehme Wirklichkeit zurückgekehrt. Obwohl der Kranke sich am anderen Morgen schlechter fühlte und sich entsprechend aufgebracht äußerte, ging es ihm eindeutig besser.

Man muß die Symptome aufschreiben. »Er schreibt alles genau mit den nämlichen Ausdrücken auf, deren der Kranke und die Angehörigen sich bedienen« (§ 84). Der »Schulmeister« *Hahnemann* weist sogar an, daß man jedes Symptom für sich aufschreibe, dann kann man es bei Bedarf ergänzen (§ 85). Sie sollten sich wirklich die Zeit nehmen, die §§ 83 bis 104 durchzuarbeiten, so sparen Sie auf die Dauer am meisten Zeit. Nachbeobachten können

Sie exakt nur, wenn Sie die Symptome aufschreiben, solange sie da sind; da finden Sie die passenden Worte und haben keine Zeit, die unangenehmen Eindrücke zu verdrängen und zu vergessen (§ 99). Wer im entscheidenden Augenblick keine Zeit hat, kommt in immer größere Zeitnot. Notwendig ist, die wichtigen Symptome wahrzunehmen, sonst findet man die heilende Arznei nicht. An dieser grundlegenden Arbeit muß sich auch der Kranke beteiligen, indem er die Symptome selbst laufend notiert, wann, wo und wie sie erscheinen.

Wenn Sie den Arzt rufen, sind die Anfangsbehandlung und Ihre Beobachtung die beste Grundlage für die ärztliche Weiterbehandlung. Selbstbehandlung und ärztliche Behandlung sind keine Gegensätze, sondern notwendige Ergänzungen.

Der menschliche Geist und seine Störungen

Die Eigentümlichkeit des Geistes und seine Aufgabe

Was das Leben aller Zeiten empfangen und beantwortet, in seine Erinnerung aufgenommen und als gemeinsame Wahrnehmungs- und Verhaltensstruktur aufbewahrt hat und was davon als »Erbe« auf mich gekommen ist: das ist die Grundlage, von der mein Weg ausgegangen ist.

Was ich in meinem Leben von der erscheinenden Wirklichkeit wahrgenommen und beantwortet habe und an fremden Beiträgen und Lehren für meine Entscheidungen verwerten konnte, das ist mein gegenwärtiges verantwortliches Wirklichkeitsverhältnis, der »Geist«, der meine zukünftigen Bewegungen mitbestimmt.

Das Innere der Wirklichkeit, des Geistes ist mir unbekannt. Wes Geistes Kind ein Mensch ist, können wir nicht erfahren, auch wenn alle Untersuchungs- und Forschungseinrichtungen der Welt, Juristen, Psychologen, Soziologen, Anthropologen und Theologen zusammenarbeiten würden.

Was ich vom Geist eines Menschen wissen muß, um mit ihm recht umzugehen, offenbart sich mir in der persönlichen Begegnung, wenn mein Geist offen, empfänglich, bereit ist für den mich angehenden Geist meines Nächsten. Der Geist regt an, womit er übereinstimmt, ein gleicher Klang fängt und bewegt den andern *(Boehme).* Dieses Ereignis (von irougn - eräugen) beansprucht das volle Vermögen der Beteiligten.

Ich glaube wie *Ortega y Gasset,* daß es meine eigentliche Lebensaufgabe ist, für die erscheinende Wirklichkeit bereit zu sein, sie im entscheidenden Augenblick aufzunehmen und über meinen notwendigen Anteil zu entscheiden. Das ist meine unersetzliche Mitbestimmung an der lebendigen Bewegung. Die Freiheit des Geistes ist, dem »Schicksal« die heilende Antwort zu geben. Macht der Geist von diesem Vermögen keinen Gebrauch, so geht er in die Kausal- und Biomechanismen der Welt ein und gerät in deren Dienst, anstatt über die eigene Distanz und Beziehung zu der ihn angehenden Wirklichkeit zu entscheiden. Er verliert die Mitbestimmung über seinen Weg und endet als Sklave seiner Vorstellungsmuster (Vorurteile).

Das Gewissen des Geistes

Das geistige Gewissen hat darüber zu wachen, daß keine falschen Vorstellungen, Empfindungen und Gefühle sich im menschlichen Bewußtsein festsetzen und ausbreiten können. Es stellt eine Art immunologisches System dar, das fremde, mit der Wirklichkeit unverträgliche Vorstellungen erkennt und aussscheidet. Dieser Aufgabe waren sich empfindliche Geister immer bewußt. So schrieb *Descartes:* »Es war immer mein äußerster Wunsch, das Wahre vom Falschen unterscheiden zu lernen«. Wird der Geist mit einer falschen Vorstellung angesteckt, so ist diese geistige Verschmutzung nicht harmloser als eine entsprechende chronische körperliche Infektion oder die Umweltverschmutzung, gegen die der heutige Mensch »allergisch« ist. Seit Jahrtausenden wurde auf die äußere Sauberkeit mehr Wert gelegt als auf die innere; ich halte die innere Unreinlichkeit für schlimmer: Sie ist die Quelle aller Umweltverschmutzung.

Der kritische Geist hat sich der geistigen Selbstreinigung zu widmen, solange seine Aufmerksamkeit nicht von der erscheinenden Wirklichkeit beansprucht ist. Nicht das Ausspinnen von Theorien ist seine Aufgabe, sondern die nüchterne Überprüfung der gewordenen Vorstellungen und Einstellungen. Erscheint die Wirklichkeit selbst, so muß sich praktisch bewähren, ob der Geist von ihr oder von der Täuschung erregt (angesteckt) wird.

Der gesunde Geist

Das Aufmerken auf die erscheinende Wirklichkeit

Gehen wir davon aus, daß der gutwillige Mensch für die erscheinende Wirklichkeit bereit sein möchte: Was kann er von sich aus dazu tun?

Wenn ich meine Aufmerksamkeit gerade in dem Augenblick auf die erscheinende Wirklichkeit gerichtet habe, in dem sie mich angeht, dann wird es licht, dann habe ich er-äugt, was ich für meinen nächsten Schritt wissen muß.

Natürlich genügt der menschliche Wille nicht, die Wirklichkeit wahrzunehmen. Notwendig ist aber auf jeden Fall eine gespannte Bereitschaft, die erscheinende Wirklichkeit zu empfangen. Ich darf allerdings nicht nach meinem Vorurteil suchen oder auf bestimmte Erwartungen festgelegt sein, sonst finde ich immer nur das, was ich schon vorher im Sinn habe. Deshalb ist für *Hahnemann* der vorurteilslose Beobachter die erste Voraussetzung für die homöopathische Heilweise (§ 6). Die erscheinende Wirklichkeit, die ich beobachten muß, ist mir unbekannt, und mit dieser lapidaren Feststellung beginnt *Hahnemann* seinen Aufsatz aus dem Jahre 1813 über den Geist der Homöopathie:

»Es ist unmöglich, das innere Wesen der Krankheit und was im Verborgenen durch sie im Körper verändert ist, zu errathen, und töricht, auf solche hypothetischen Vermutungen und Annahmen deren Cur bauen zu wollen.«

Ich muß wissen *und* glauben, daß die kommende Wirklichkeit nicht meinen Vorstellungen und Erwartungen entspricht und sich nicht nach meinem Willen richtet. Will ich ihr Erscheinen verzögern, beschleunigen oder manipulieren, so hindere ich mich daran sie wahrzunehmen. Vom Aufmerksamwerden bis zur Entscheidung und Ausführung ist die »redliche Zustimmung eines zarten Gewissens« zu dem, was ich beobachte, notwendig *(Hahnemann).* Auch wenn mir keine »Verstimmung« der Kräfte mehr bewußt ist, muß ich theoretisch damit rechnen, daß ich doch einer Täuschung zufallen könnte; immerhin hafte ich mit meiner Existenz dafür, daß ich mich auf keinen »Schwindel« einlasse. Ich versäume die mögliche Heilung, wenn ich die wahren von den falschen Erscheinungen nicht gewissenschaft unterscheide; das »Wissen«, der gerade erreichte Stand des Irrtums, genügt nicht.

Trotz des theoretischen und generalisierten Wissens über die Physiologie und Pathologie des Körpers wissen wir über die individuelle gegenwärtige Wirklichkeit des Krankseins nichts: *Wir müssen alles Notwendige von der in diesem Augenblick erscheinenden Wirklichkeit erfahren.* Was wir vorher zu wissen meinen, gehört der Vergangenheit an, ist Voreingenommenheit, schematisches Wahrnehmen, Denken und Handeln. Um die jetzt erscheinende Wirklichkeit aufnehmen zu können, müssen wir von der Haltung des vorstellenden Denkens abgesprungen sein *(Heidegger),* dann wird das, was wir wahrnehmen, uns in Bewegung setzen *(v. Weizsäcker).*

Das vorurteilslose Beobachten

Sobald ich sicher bin, daß mir lediglich die erscheinende Wirklichkeit den nächsten notwendigen Schritt mitteilen kann, ist der andere Grundsatz von *Hahnemann* selbstverständlich: » . . . daß diese dynamischen Verstimmungen, die wir Krankheit nennen, da sie nichts anderes als abgeänderte Gefühle und Tätigkeiten sind, sich auch durch nichts als durch ein Aggregat von Symptomen auszusprechen vermögen und bloß als ein solches unserem Wahrnehmungsvermögen erkennbar sind«.

Für die Heilung kommt es darauf an, daß ich mit voller, durch nichts abgelenkter Aufmerksamkeit gewissenhaft die Symptome aufnehme, wie sie mich von selbst und ungestört wirklich angehen. Das Vermögen, richtig aufzunehmen, erwirbt man nur durch lebenslange geduldige Übung, durch fortwährende Selbstkritik gegenüber eigenen und fremden Abschweifungen und durch laufende Reinigung der eigenen Vorstellungswelt. Der menschliche Wille, das Ganze aufzufassen, muß auf das praktisch Mögliche beschränkt werden: Man muß die Phänomene nehmen, wie sie einen angehen, ohne sie »Ganzheitstheorien« zuliebe ab- oder aufzurunden. Deshalb muß man sie möglichst Wort für Wort und ohne »theoretische Berichtigungen« aufschreiben und stehen lassen, bis wir begriffen haben, was sie bedeuten. Immer, wenn wir Erscheinungen in Worte übersetzen, findet ein Tausch statt, der zur Täuschung verführt. Wir müssen zusehen, daß wir mit der Wortstellung der wirklichen Erscheinung so treu bleiben, daß die Ähnlichkeit der Symptome im Wort wirklichkeitsgemäß erscheint.

Wer meint, diese große Schwierigkeit, die Phänomene in Worte zu übersetzen, durch den Videofilm gelöst zu haben, überzeugt mich nicht. Im Videofilm ist die Fiktion der Identität von Erscheinung und Bild fast allmächtig. Man muß jedoch das Kunststück lösen, seine Aufmerksamkeit zugleich gewissenhaft auf den entscheidenden Punkt der erscheinenden Wirklichkeit zu richten *und* auf die rechte Bedienung des technischen Gerätes. Die Maschine mag die Präzision der Wahrnehmung steigern, wenn sie sich störfrei in das individuelle Aufnehmen einordnet; im andern Fall ist sie ein Störfaktor. Nur das Gewissen kann helfen, die echten Phänomene aus der unendlichen Zahl der Symptome heraus zu erkennen. Wer es sich zu erleichtern meint, erschwert es sich.

Nachdenken, vergleichen und abstimmen

Sind die eigenen Beobachtungen, die des Kranken und die seiner Umgebung aufgezeichnet, so muß ich sie gesammelt in mein Kurzzeitgedächtnis aufnehmen, um in der Einsamkeit darüber nachdenken und sie prüfen zu können. Da wir im individuellen Bereich keinen objektiven Maßstab haben, sind wir zuerst auf unser Gewissen gestellt. Der Geist hat die Pflicht, zu bestimmen, was er für wahr und recht hält. Seine Entscheidung ist nur für ihn selbst und für diesen Augenblick gültig. Er darf keiner fremden Meinung gegen seine Überzeugung widersprechen, auch keiner gegen sein Gewissen zustimmen. Gegenüber den Versuchen fremder Kräfte, das individuelle Bewußtsein zu erobern, hat der Geist klar seine Aufgabe: er hat darauf hinzuweisen, wenn die Erscheinungen ihr Maß, ihren Ort und ihre Zeit überschreiten. Besteht der Geist auf seiner Unabhängigkeit, läßt er sich nicht von fremden Einwirkungen anstecken, so sorgt die Wirklichkeit selber für das Gleichgewicht. An den aufgenommenen Symptomen fallen ihm dann Lücken und Maßlosigkeit wie Grenzüberschreitungen und Übertreibungen auf, Fälschungen, Fehldeutungen und Verschiebungen werden bewußt. Er erkennt eine falsche Einstellung, die die Aufmerksamkeit nicht auf das zu Heilende gerichtet hat, sondern zu Nebensächlichem abschweift. Insgesamt tritt die Wirklichkeit - das zu Heilende - deutlicher hervor, und die falschen Beimischungen scheiden aus (Prägnanztendenz): »Die wahre Heilkunst ist ihrer Natur nach eine reine Erfahrungswissenschaft und kann und darf sich daher bloß an lautere Tatsachen halten und keinen Schritt aus dem Kreise reiner wohlbeobachteter Erfahrungen und Versuche wagen« *(Hahnemann)*. Für die selbstverantwortliche geistige Arbeit gibt es keinen Ersatz.

Die Qualität der Sprache gibt einen guten Hinweis auf die Genauigkeit der Beobachtung. Nach *Hahnemann* braucht der Heilkünstler eine ungewöhnliche Fähigkeit, die Krankheitszustände genau und treffend wahrzunehmen *und* mit den passendsten, natürlichen Ausdrücken zu bezeichnen. Was der Kranke in der Krankheitsnot sagt, drückt die Wirklichkeit selbst aus. Das muß man in diesem Augenblick aufschreiben. Die Ähnlichkeit von Kranken- und Arzneisymptomatik kann am zuverlässigsten erkannt werden, wo die ursprüngliche Ausdrucksweise aus einem zarten Gewissen stammt.

Wenn die Wirklichkeit erscheint, zeigt das eine Veränderung an, und daraus muß ich meine »Konsequenzen« ziehen. Auf welche konkrete Berichtigung weist die erscheinende Wirklichkeit hin? Welches Kranksein ist zu heilen, welcher Irrtum zu berichtigen, welches Vorurteil aufzulösen und welche Neueinstellung ist notwendig? Wenn ich die Krankheit abschaffe, ohne daß sich bei mir etwas in der rechten Richtung geändert hat, habe ich ihre Gabe versäumt. Habe ich das zu Heilende eingesehen (§ 3) und mit Hilfe der Ähnlichkeit das Heilende gefunden, so beginnt der nächste Schritt in die Zukunft. Dieser Schritt ist einsam und löst keine Zustimmung bei der Umgebung aus. Das rechte Handeln kommt zwar auf die Dauer allen zugute, aber im Augenblick bringt es dem üblichen Egoismus eher Nachteil.

Die verantwortliche Ausführung

Ist die lebendige, individuelle Einigung erreicht und stimmen die Kräfte überein, dann ist der Mensch von jenem Mut und Glauben erfüllt, den er für das Wagnis des nächsten Schrittes braucht. Erfüllt er seine Aufgabe, so kann er darauf vertrauen, daß auch seine eigenen Bedürfnisse gestillt werden. Denken wir an die Funktion des Herzens: Indem es seiner Aufgabe nachkommt, wird der ganze Körper, der Geist, jedes Organ und das Herz selbst mit Blut versorgt. So empfindet der Geist die Lebensbedürfnisse der andern wie die eigene Not, wenn er seine Aufgabe erfüllt.

Kürzlich bin ich als alter Mann auf einem Kirschbaum geklettert. Ein Zuschauer hätte mir vermutlich die Unfallverhütungsvorschriften beizubringen versucht, mein Zulassungsattest und das ärztliche Zeugnis verlangt, mich auf die bestehenden Schwierigkeiten aufmerksam gemacht (Regennässe, Glätte, Wind). Er hätte mich wohl auch darüber belehrt, daß die Reaktionsgeschwindigkeit im Alter abnimmt und die Knochen leichter brechen. Meine Lage ist viel einfacher: Ich muß nur beim Anblick der Kirschen entscheiden, ob ich – im verantwortlichen Bewußtsein aller Umstände – welche pflücke. Ich halte die eigene Verantwortung für viel wichtiger als die noch so intensive Schulung in theoretischen Details. Für andere mag das anders sein, ich kann nicht beantworten und verantworten, was einen andern Menschen angeht. Ich muß gewissenhaft prüfen, was für mich recht ist. Wenn das Rechttun mit Gefahr verbunden ist, muß ich diese auf mich nehmen: ich kann ihr in diesem Fall nicht ausweichen.

Wenn der Mensch erkennt, was ihn wirklich angeht, wenn er seine Aufgabe gewissenhaft annimmt und ihr bis zum Ende folgt, dann tut er das Notwendige, und damit stimmen die Weltkräfte überein. Für das, was mich die Wirklichkeit heißt, steht sie auch auf meiner Seite. Ob der einzelne überlebt, hängt von seinem geistigen Gewissen ab. Was er selber kann, muß er tun, aber er darf mit seinem Gewissen und seinen Forderungen seine Grenzen nicht überschreiten.

Der kranke Geist

Das Gleichnis vom Apfel im Paradies macht uns mit der menschlichen Anfälligkeit bekannt: Die falschen Vorstellungen, die der Mensch hegt, werden unfehlbar von den ähnlichen, scheinbar objektiven Erscheinungen in der Außenwelt angesprochen, »er-äugt« und bestätigt. Mit dieser Ansteckung (Infektion) beginnt die chronische Krankheit. Je häufiger das Gewissen des Geistes überstimmt wird, desto mehr breiten sich falsche Empfindungen, Vorstellungen und Gefühle aus, verbinden sich mit andern abwegigen Neigungen und übernehmen schließlich die Macht. Die erscheinende Wirklichkeit wird nicht mehr bemerkt.

Die beschränkte Wirklichkeit

Die menschlichen Bedürfnisse nach Expansion, Emanzipation und Herrschaft werden durch die erscheinende Wirklichkeit behindert oder aufgehoben. Wer Gewinn, Ruhm und Macht sucht, muß der ewigen Wirklichkeit aus dem Weg gehen und das überreiche Erscheinungsangebot der Möglichkeiten und Gefahren daraufhin untersuchen, wo er für sich fündig werden könnte.

Oft wird versucht, die Abwendung von der ganzen Wirklichkeit durch gewissenhafte Untersuchung von Teilwirklichkeiten auszugleichen. Für die Naturwissenschaftler sind die kurzen, kausalen, objektivierbaren Zusammenhänge allein real. Was wir der Wirklichkeit durch unsere Untersuchung, Erforschung, Aufdeckung glauben abnehmen zu können, verschließt uns jedoch auf eigentümliche Weise den Blick für das, was die erscheinende Wirklichkeit von sich aus anbietet. Indem wir der Wirklichkeit mißtrauen, versuchen wir eine eigene Macht gegen sie aufzurichten, von der aus wir hinter ihre Geheimnisse zu kommen versuchen, um sie zu beherrschen. Ich halte das mit *Hahnemann* für eine grundlegende Selbsttäuschung. Wer sich in seiner »beschränkten Narrenwelt« *(Goethe)* mit Fleiß und Geschick, Glück und listiger Nachhilfe, notfalls mit Gewalt ein Privatreich geschaffen hat, der mag sich in seiner zweigeteilten Wirklichkeit heimisch fühlen, weil sie seiner Zwiespältigkeit entspricht. Aber mit dieser kranken Projektion – das Gute bin ich, das Böse sind meine »Feinde« – verwandelt sich die Wirklichkeit: Was ich zu machen glaube, geschieht an mir. Ich glaube zu greifen und werde gefangen; ich glaube, die Wirklichkeit begriffen zu haben, und bin nur Sklave meines Vorurteils.

Der voreingenommene Beobachter

Der auf die Teilwirklichkeit eingestellte Beobachter meidet den Blick auf die erscheinende Wirklichkeit, weil sie seine privaten Interessen und persönlichen Größenbedürfnisse nicht befriedigt. Er hat sein aus der Ur-Ansteckung stammendes Grundgesetz, das er weiterentwickelt, er hat seine Mitte (Egozentrizität), seine Vorstellungswelt (Vorurteil), seine Sprache und vor allem seine Interessen (Vorteile, Gewinne, Geist der Eroberung). Was dieser Ich-Ordnung nützt und sie fördert, wird beachtet; was sie stört, wird ferngehalten und notfalls im Existenzkampf beseitigt.

Die Wirklichkeit der eigenen Welt wird nicht nur materiell objektiviert durch möglichst große Einrichtung, Organisation oder Bauten, es besteht auch ein auffallendes Bedürfnis, sie geistig zu bestätigen. Alle Beobachtungen, Theorien und Forschungen zielen auf diese geistige Fundierung ab. Lehre, Propaganda sollen sie weiter ausbreiten, möglichst friedlich, heimlich, - aber auch durch Macht, Geld und in der äußersten Not mit Gewalt (Gleichschaltung, Zwang, Drohung). Damit soll dem eigenen Reich ein Hauch von Endgültigkeit und Ewigkeit (Objektivität) verliehen werden.

So findet der Forscher, dessen Ehrgeiz an einer von ihm aufgestellten Theorie hängt, immer Beweise für diese und ist nicht fähig, die Gegenargumente in ihrem ganzen Gewicht zu würdigen *(Bleuler)*. Je mehr Angst ein Phänomen erregt, desto weniger scheint der Mensch in der Lage zu sein, es genau zu beobachten, darüber nachzudenken und angemessene Methoden zu seiner genauen Beschreibung zu entwickeln *(Devereux)*.

Hier taucht die verdrängte Seite auf. Der menschliche Wille ist nur einseitig und zeitweilig an der Macht. Seit dem Austritt aus der Seinszusammengehörigkeit ist der Mensch ungeborgen, von »bösen Mächten« bedroht: Der Geist hat seine Unabhängigkeit verloren und ist in den Dienst fremder Mächte geraten, er muß liefern, was der Machtwahn verlangt. Eine Vorahnung dieser Wirklichkeit bekommen Sie jeden Tag, an dem Sie den Abstand verlieren und in Zeitdruck, ins Gedränge der Forderungen und Drohungen geraten und nicht mehr aus noch ein wissen.

Was der Mensch in einer schwachen Stunde - der »Stunde der Wahrheit« - zeigt, ist nicht wahr, sondern eine unfreiwillige Blöße, bei deren Erscheinen man lieber wegsieht. Nur die selbstverantwortliche Aufmerksamkeit auf die einen angehende Erscheinung der Kräfteverstimmung offenbart das »zu Heilende« in der rechten Weise.

Die erstarrte Theorie

Manche strengen sich im ersten Drittel ihres Lebens an, eine Theorie zu erwerben, nach der sie im zweiten Lebensdrittel die entstandene Wirklichkeit kritisieren und zu korrigieren versuchen. Leider hat die Theorie eine peinliches Eigenheil: Kaum hat man sie erstellt, so ist man ihr unterworfen.

An die Stelle der erscheinenden Wirklichkeit, die mich ermächtigt, meine Aufgabe zu erfüllen, tritt eine Vorstellung, die mich dazu verurteilt, mich als (unvollkommenen) Herrn der Krankheit aufzuführen.

Die vermeintliche Herrschaft der naturwissenschaftlichen Medizintechnik über den Krankheitsmechanismus setzt voraus, daß die Wirklichkeit willkürlich teilbar und zusammensetzbar sei. Freilich reicht das Wissen des homo sapiens von der Teilung in Gut und Böse bis zur Atom- und Genspaltung. Aber es scheint, daß der Vorsprung dieser technischen Erfolge von den Nebenwirkungen eingeholt wird, denken wir nur an die Umweltverschmutzung! Dann wird das Vertrauen der Massen in die menschliche Allmacht labil und schlägt leicht in Angst um. *Goethe* beschrieb diese Veränderungen: »Du glaubst zu schieben und du wirst geschoben.« Durch sein Handeln ruft man unwillkürlich hervor, was man willkürlich verhindern will. Das »Ver-rückte« ist, daß man beim vermeintlichen Greifen nach dem Vorteil den Nachteil in der Hand hat.

Die verantwortungslose Aufführung

Das Gewissen des Menschen ist meist nicht ganz erloschen; er weiß eigentlich, was wahr und recht ist, aber danach zu leben, erscheint ihm zu schwer. Er teilt seine Wirklichkeit deshalb in möglichst recht scheinendes Auftreten in der Öffentlichkeit (Aufführung) und die geheime Privatsphäre, die »Respekt« verlangt (vgl. Datenschutz). Ich meine, man sollte das Innere jeder Lebenseinheit heilig halten, auch wenn es nicht heilig ist, sollte es also nicht an den »Pranger« stellen. Im Innern kann nur die Eigentätigkeit (Gewissen) wirklich etwas bessern. Dementsprechend besteht *Hahnemann* darauf, daß uns das Innere, beispielsweise der Krankheit, des Geistes, des Lebens, unbekannt sei: Wir müssen uns an die Symptome halten.

Allerdings muß man zwischen Ausführung und Aufführung unterscheiden. Das geschieht »praktisch«: Wer für Aufführung anfällig ist, der wird auf die Aufführung hereinfallen; wer wenig lügt, wird umso weniger belogen werden. Alle großen Aufführungen des Menschen zeigen sein Größenbedürfnis; sie zeigen aber auch, daß zwischen Sein und Schein ein Mißverhältnis besteht. Die große Aufführung wird in dem Maß vorherrschend, wie das Gewissen schwindet. Am Schluß plagen keine Skrupel mehr, aber durch die systematischen Grenzverletzungen stumpft sich das Empfinden für die zunehmende Verstimmung der Kräfte ab, und am Schluß steht die große Aufführung vor dem endgültigen Hinrichtungsmechanismus. Die verantwortungslose Aufführung auch der Krankheiten und ihrer Therapie, verunsichert das an sich labile Gewissen der Menschen noch mehr und vermehrt damit die Schwierigkeiten, die sie als nahezu behoben vorgaukelt.

Die Heilung des Geistes

Die Phantasie von einem Zustand des vollkommenen körperlichen, seelischen und geistigen Wohlbefindens ist angenehm. Allerdings steht sie der Wirklichkeit im Wege. *Faust* drückt sich hier klar aus: »Werd ich zum Augenblicke sagen: verweile doch, du bist so schön, dann magst du mich in Fesseln schlagen!« Es gibt Phasen des Wohlbefindens (Größenwahn), die man heute mit den Endomorphinen in Zusammenhang bringt. Für die Betroffenen folgt jedoch dem Gipfel das Tal.

Solange es ununterbrochen aufwärtsgeht, überschreitet der kollektive Größenwahn alle Grenzen; nur die Brutalsten und Radikalsten bleiben obenauf. Den durch ihr Gewissen Gehemmten hilft die Entwicklung ihres »Selbstbewußtseins« nur wenig. Irgendwann kommen sie an jenen Punkt, an dem sie von der erschreckenden Erkenntnis überfallen werden, daß auch das durch naturwissenschaftliche und technische Höchstleistungen gesteigerte, durch Sozialisation optimal organisierte menschliche Vermögen nicht reicht. Erlebt der Mensch die andere Seite der wissenschaftlich-technischen Allmacht, so wird er offen für die erscheinende hilfreiche Wirklichkeit; dies war der Ansatzpunkt, von dem aus *Hahnemann* seine Heilmethode fand.

Die Gegenwart der erscheinenden Wirklichkeit

Von der erscheinenden Wirklichkeit sind wir noch ziemlich weit entfernt. Nach der Überlieferung wurden früher einzelne Menschen und ganze Gruppen vom Geist ergriffen. Daß auch hier die Täuschungen überwiegen, ist sicher; aber das befreit uns nicht von der schweren Aufgabe, zwischen echt und falsch zu unterscheiden. Im alten Griechenland erlebte man den erscheinenden Dionysos als überwältigend, ungeheuer und umwälzend; auch der »Gottesschrecken« in Israel wurde so beschrieben. Heute wird die erscheinende Wirklichkeit als feinste Nuance, als überraschende Veränderung erlebt: »Das Ewige ist stille« *(Raabe)*. Man muß auf leiseste Töne achten, um zu bemerken, was in einem »auftaucht« oder einem »einfällt« *(Heyer)*.

Dieser Wirklichkeit begegnet man nur im Zustand menschlichen Ungenügens und der Ergänzungsbedürftigkeit. Indem man empfindet, daß man ein unreiner, verstimmter, aus der Ordnung gefallener kranker Mensch ist, hat man den Arzt, die Heilung, nötig. Wenn der Kranke begreift, daß er ein unvollkommener Mensch ist, zeigt er zugleich an, daß Zeit und Möglichkeit der Heilung gekommen sind. Man muß anfangen, seine Aufmerksamkeit auf den *eigenen* Anteil am Welt-Unrecht zu konzentrieren. Solange man noch alles Böse (Kranke) bei den andern sieht, wird man die Unstimmigkeit nicht bemerken. Beobachtet man beharrlich, was an der erscheinenden Wirklichkeit neu, verändert, ungewohnt, unangenehm ist, und läßt man sich durch nichts davon abhalten, dem nachzugehen, dann wird die Empfänglichkeit für das zu Heilende wachsen, das im Mittelpunkt der Aufmerksamkeit stehen muß. Sieht der Mensch ein, daß das Gegaukel seiner Größen- und Angstwahnvorstellungen ihn hindert, das zu Heilende in der erscheinenden Wirklichkeit wahrzunehmen, und schiebt er diese Vorstellungen beiseite, dann mag ihm sein Kranksein (die Kräfteverstimmung) aufgehen und der ernsthafte Wunsch nach Heilung entstehen.

Das zu Heilende aufnehmen

Wenn die Wirklichkeit erscheint, ist die Zeit zum nächsten Schritt reif. Man muß das Vergangene hinter sich lassen und - das ist das Unheimliche und Beängstigende - sich auf einen unsicheren Weg wagen, der in eine neue, unbekannte, bedrohte Zukunft weist. Die kommende Wirklichkeit erscheint dem Kranken wie ein drohender Schicksalsbote, der das Sterben anzeigt. Auch hier sieht der Mensch die Wirklichkeit eigentümlich verkehrt: Was ihn gelüstet, bringt ihn um, und vor dem Heilenden schreckt er zurück. Erst wenn er die Wirklichkeit nicht mehr verrückt sieht, wenn er die Krankheit nicht mehr in panischem Schrecken als drohende Hinrichtung verkennt, gegen die man sich mit allen Mitteln wehren muß, tritt jene Umwandlung der Sicht ein, die *Hahnemann* als das Heilende bezeichnet: Indem man anfängt, der Wirklichkeit zu vertrauen, anstatt sie zu fliehen, läßt man sich nicht mehr das Heilende als Zerstörendes vormachen, die Hilfe als Lebensbedrohung und das zu Heilende als zu Beseitigendes. Mit dieser Umkehr der bisher kranken Projektionen hat die Heilung schon begonnen. Die Heilung ist keine magische Arzneiwirkung, sondern jene entscheidende Wende, die in den Krankheitszeichen das zu Heilende erkennt.

In der höchsten Krankheitsnot werden alle andern lockenden und drohenden Erscheinungen nichtig: Was das Ich gewinnen oder verlieren wird; woher das kommt, wohin das führt; wen man haftbar machen kann. Jetzt tut nur eins »not«: was die Not wendet. Alle Beimischungen der Phänomene fallen ab, man hat nur noch jene Erscheinungen vor Augen, die die verstimmte Lebenskraft ausdrücken: abgeänderte Gefühle und Tätigkeiten, die sich durch ein Aggregat von Symptomen aussprechen und nur in dieser Erscheinungsform wahrgenommen werden können *(Hahnemann)*. Wer weiß und glaubt, daß da nichts zu deuteln, zu erklären, nichts dahinter und dazwischen zu suchen ist, daß Furcht und Hoffnung hier fehl am Platze sind, vermag die Phänomene mutig aufzunehmen, wie sie wirklich erscheinen. Sein Gewissen wird ihn dazu ermächtigen, sie wahr und recht auszudrücken, wie es zur Heilung notwendig ist.

Echte und falsche Ähnlichkeit

Dadurch, daß man einmal das zu Heilende und die heilende Arznei (Simile) gefunden hat, ist man allerdings gegen den Rückfall in die alten Vorurteile nicht gefeit. Man muß methodisch anfangen, die wirklichkeitsfremden Vorstellungen zu erkennen und aufzulösen. Der gute Wille und der eigene Verstand reichen dazu nie, es sei denn, sie stehen bereit für den nächsten Augenblick der erscheinenden Wirklichkeit. Was wir zur Heilung wissen müssen, legt die erscheinende Wirklichkeit in dem zu Heilenden vor unsere Augen; dazu gehört auch die lebendig anwesende Erinnerung an frühere Phänomene. Theoretische Vor- und Nachurteile stören die Heilung.

Je sorgfältiger ich Herz und Geist von Lügen und Täuschungen reinige, je weniger ich lüge, desto weniger kann ich belogen werden. Das Empfinden des Geistes für wahr und recht ist nicht einfach von selbst gegeben, es muß lebenslänglich geduldig geübt werden. Aber ich kann unterscheiden lernen, was die Wirklichkeit mir als zusammengehöriges Wahrsein vor Augen legt und was fremde Beimischungen sind, die sich an meine Vorliebe für Täuschungen wenden. Unterläßt der geistig Gewissenhafte die letzte Unterscheidung zwischen wahr und falsch, so hat die Illusion, seine Vorstellung und Verhaltensweise seien vollkommen und endgültig, seinen Verstand für die nächste erscheinende Wirklichkeit verschlossen. Das ist der geistige Tod, für den ich keine Wiederbelebung weiß.

Das Beobachten des Heilwegs an seinen Erscheinungen

Wie das zu Heilende im rechten Augenblick erscheint und aufgenommen werden muß, so dürfen wir in ähnlicher Weise dem Weg der Heilung nicht theoretisch vorgreifen. Was wir hier und jetzt tun müssen, richtet sich nach dem, was wir als wahr und recht im Augenblick erkennen. Für diese individuelle Erkenntnis gibt es keine Garantie und keinen Ersatz. Wir müssen zwar im Vertrauen auf die Wirklichkeit recht beobachten und handeln, aber selbstverständlich machen wir immer wieder Fehler, und ob die Wirklichkeit diese Fehler stillschweigend korrigiert, bleibt offen.

Wie die Heilung fortschreitet, welche Fehler wir machen, was wir tun müssen, um sie zu berichtigen: das alles teilt uns die auch in Zukunft erscheinende Wirklichkeit mit. Wir müssen also die Heilung nicht weniger gewissenhaft beobachten als das zu Heilende und das Heilende. Wir müssen unsern ganzen Weg durch unsere Beobachtungen beschreiben.

Ich habe vorwiegend die grundlegenden Anfänge der geistigen Erkrankung und ihrer Heilung anzudeuten versucht. Natürlich ist auch der weitere Weg mit Problemen gepflastert, deren Lösung nicht etwa leichter wird, im Gegenteil: Was ich bei der letzten Aufgabe gelernt habe, brauche ich zur Lösung der nächsten. Aber im Prinzip bleibt die Aufgabe dieselbe: unsere Vorurteile im Tempo der erscheinenden Wirklichkeit aufzulösen, den nächsten Schritt in die Zukunft zu wagen und auch vor der rechten Aufnahme des letzten individuellen Problems, dem Tod, nicht zurückzuschrecken.

Der Brennpunkt

Für mich gibt es nur *ein* Wunder: Wenn ich im entscheidenden Augenblick »zufällig« ins Auge der mich angehenden Wirklichkeit blicke. Was ich dann er-äuge, ist wahr. Alle subjektiven, objektiven, kollektiven oder theoretischen Wahrheiten verblassen daneben als Vorurteil. Wird mir die Unstimmigkeit zwischen subjektiver Wahrheit und Wirklichkeit bewußt, so hat sich mein Bewußtsein einen Spalt für die Wirklichkeit geöffnet. Sie verdrängen heißt, die Augen vor der Unstimmigkeit zu verschließen, nicht hören zu wollen, was meinen Lebenszielen widerspricht und mich zu weigern, den Unstimmigkeiten nachzugehen.

Wenn Geist und Natur einig werden, freut sich das Leben.

Das gestörte Verhältnis zur Natur

Wer die lebendige Natur nicht von der physikalisch-chemischen Welt unterscheidet, behandelt das Lebendige wie einen Gegenstand, also unmenschlich. Wesentlich für das Leben ist, daß die gleichgestellten Kräfte (Individuen) im notwendigen Augenblick sich aufeinander beziehen, also »empfänglich« sind, aufmerksam miteinander sprechen, sich verstehen und zusammenwirken. Der teilhabende Mensch leistet und empfängt seinen Anteil.

Der Mensch hängt zwangsläufig mit der Mengenwelt zusammen. Aus ihr baut er seine innere und äußere Ordnung auf; von ihr nimmt er die Stoffe und Kräfte für Erbanlage, Körper und äußere Einrichung, an sie fällt sein stofflicher Anteil im Tod zurück.

Andererseits kann der Mensch sich freiwillig-geistig mit dem Ganzen verbinden. Die erscheinende Wirklichkeit selbst spricht ihn an, wenn er offen, aufmerksam und bereit ist, ihren Anspruch aufzunehmen und zu beantworten (Verantwortung).

Überwiegt das Technische wie in heutiger Zeit, so kommt das Menschliche zu kurz. Mit einer Übermacht ist schlecht reden. »Größenwahn sowohl wie Minderwertigkeitsgefühl verunmöglichen jede Anerkennung, ohne die es keine Beziehung gibt« *(C. G. Jung)*. Wird das Wort im Mund der Gewalttäter mißbraucht, so treten die Kräfte in tödlichen Gegensatz.

Zum Verständnis des Kindes

Wie man zum Kind eingestellt ist, so steht man zur Mutter, zur Natur und zum Göttlichen. Das Kind entwickelt sich in der Mutter und in der häuslichen Welt. Sie prägt seine Verhaltensmuster und bestimmt sein äußeres Schicksal. Welche Antwort der Mensch dem Schicksal gibt, ist *seine* Sache: »Entscheidend ist nicht, was einer bekommt, sondern was er daraus macht« *(E. Pelled)*.

Im Kind machen die Eltern bewußt die unbewußten Anfänge ihres eigenen Lebens durch, wenn sie im werdenden Leben sich selbst sehen. Sie haben damit eine natürliche »Psychoanalyse«, eine Therapie der Anfänge, die durch keine vielbändige Theorie zu ersetzen ist und erleben die polare Wirklichkeit des Menschseins im Rhythmus des Generationswechsels.

Die menschliche Bedürftigkeit

Von Anfang an ist der Mensch ein bedürftiges Wesen; unvollkommen, unfertig, auf sich allein gestellt lebensunfähig, angewiesen auf Ansprache, Hilfe, Pflege und Kommunikation. Das Kind bekommt Leben und Lebensunterhalt geschenkt: Die Eltern räumen den notwendigen Platz ein, sie geben Nahrung, Schutz und Wärme und erfüllen jene unwägbaren Bedürfnisse nach stetiger Zuwendung, Verstehen und Liebe, die das werdende Leben braucht. Mit »Fütterung« gegen Tariflohn oder Kindergeld werden diese nicht gestillt.

Das Lebendige erleidet Schaden oder stirbt, wenn seine natürlichen Bedürfnisse nicht erfüllt werden. Sie sind also lebensnotwendig; es gibt nichts Wichtigeres als die instinktive oder bewußte Erfüllung dieser Bedürfnisse. Leider ist das Verhältnis zu diesen lebensnotwendigen Bedürfnissen heute im Kleinen und Großen gestört. Überfluß ist schädlich, kommt also nicht einmal denen zugute, die ihn haben. Das notwendige Bedürfnis wird durch die rechte Nahrung gestillt; die überflüssigen Wünsche werden durch Süßigkeiten bis zur Unersättlichkeit gesteigert. Je mehr man hat und bekommt, desto mehr »braucht« man, man »ißt sich hungrig« *(s. Calc. carb.)*.

Die menschliche Aufgabe

Andererseits ist der Mensch auf die Welt gekommen, um seine Aufgabe zu erfüllen. »Von Essen allein kann der Mensch nicht gesund bleiben, wenn er sich nicht auch anstrengt« *(Hippokrates)*. An ihrem hilfsbedürftigen Säugling erlebt die junge Mutter schrittweise ihre natürliche Aufgabe. Wie seinerzeit ihre eigenen Bedürfnisse von ihrer Mutter gestillt wurden, gibt sie jetzt die empfangene Leistung weiter. In dem Maß wie der Mensch seine Aufgabe erkennt und anerkennt, wachsen seine Fähigkeiten.

Da die Mutter sich erst entwickeln muß, darf sie nicht erwarten, daß ihre Fähigkeiten zugleich mit dem Kind geboren werden. Ist sie bereit, jeden Tag auf die Ansprüche des Lebens zu hören, so wird sie die notwendigen Fähigkeiten bekommen. Sie braucht dafür nicht viel herumzuhören. Das eigene Gefühl, der eigene Geschmack, die eigene Liebe sind die beste Grundlage für die richtige Anwendung des »Wissens«. Was Ihnen die andern erzählen, ist höchstens eine Anregung, die Sie prüfen müssen, Sie dürfen sich nicht darauf verlassen.

Das Leben ist Eigenleistung in Wahrnehmen und Bewegen. Der Mensch gewinnt die notwendigen Fähigkeiten nur, wenn er die von den äußeren und inneren Gegebenheiten (Anlage und Umwelt) gestellte Aufgabe annimmt und nicht losläßt, ehe er sie gelöst hat. Die Aufgabe geht bis an die Grenze der jeweiligen Belastungsfähigkeit. Aber nur unter diesen äußersten Bedingungen entwickeln sich jene neuen Fähigkeiten, die der Mensch für die nächste Aufgabe braucht. Wer das Leben als geschenkte Fremdleistung verbraucht, dem verbirgt eine »Verbrauchergesinnung« die Wirklichkeit: »Nur der verdient sich Freiheit wie das Leben, der täglich sie erobern (erringen) muß.« Wer seinen Lebensvorschuß nicht in die Zukunft investiert, verzichtet auf die Zukunft.

Verhaltensfehler

Die Schwangerschaft

Auch im Zeitalter des Wunschkindes wird nicht selten die Frau den ersten Zeichen der Schwangerschaft mit zwiespältigen Gefühlen begegnen. Spätestens dann sollte sie sich um die Klärung ihrer Einstellung bemühen. Eine unsichere Einstellung (Ambivalenz) hindert das Nervensystem (Vegetativum) an einer klaren Leistung. Wenn man zwischen Abtreibung und Austragen hin und her schwankt, ist eine vollwertige Körperfunktion unmöglich. Ganz allgemein, auch für andere Leistungen, gilt der Satz: Wenn im Zweifel, tue es nicht. »Wenn man zwei Möglichkeiten nachläuft, sind die Folgen bestimmt schlimm« *(Toyama).* Zweifel und Zwiespalt sind verstimmte Lebenskraft.

Lebensweise. Wenn eine Frau entschieden hat, daß sie ihr Kind haben will, dann ist sie auf ihr Kind eingestellt. Sie wird bereit und fähig sein, sich den Notwendigkeiten der Schwangerschaft entsprechend zu verhalten. Mein grundsätzlicher Rat ist: Die Frau soll sich mehr auf ihr eigenes Gefühl und ihren eigenen Geschmack verlassen als auf die jeweilige Modetheorie. Eine Erstschwangere im 3. Monat kam mit geschwollenen Beinen; sie hatte leider, wie die Mutter, schon jetzt Krampfadern. Ich zeigte ihr den elastischen Verband (später Zinkleimverband) und sie fragte: »Kann ich sonst noch etwas für mein Kind tun?« »So natürlich wie möglich leben, Frischkost vorziehen, Weizenschrot essen, ausreichend bewegen, nichts Beengendes am Bauch tragen, da sich der Druck auf die im Bauchraum verlaufenden Venen überträgt.« Der normale Verlauf der Schwangerschaft war wegen zwei unerwarteten Erscheinungen bemerkenswert. Ein Haarausfall verschwand, der nach der Geburt wieder auftrat. Die anschließende Behandlung war erfolglos, weshalb die Frau von sich aus wieder anfing, Weizenschrot zu essen. »Danach ist er ja auch das erste Mal weggegangen.« Tatsächlich ging der Haarausfall wieder zurück; außerdem traten in der nächsten Schwangerschaft die Krampfadern erst im letzten Monat heraus, und die Frau blieb bis heute von Krampfaderbeschwerden verschont. Ich möchte nicht den Eindruck erwecken, als ob solche Verläufe die Regel wären. Aber die rechte Ernährung spielt nicht nur für Krampfadern eine große Rolle, und ist nicht nur in der Schwangerschaft angezeigt, sondern immer; aber dort ganz besonders, man »ißt für sein Kind mit.« Das ist keine Mengenfrage *(vgl. S. 94).*

So wie die Schwangere Infektionskrankheiten aus dem Wege gehen soll, tut sie gut daran, die Zivilisationsgifte zu meiden. Die Kinder von Raucherinnen bleiben im Gewicht zurück. Auch die Väter sollten darauf achten, daß Mutter und Kind nicht verrauchte Luft atmen müssen. Leider scheint mir, daß sich die Frauen das Rauchen in dem Maß angewöhnen, wie die Männer es bleiben lassen. Jeder regelmäßige Alkoholgenuß während der Schwangerschaft ist für die Frucht gefährlich. In der Frühschwangerschaft kann schon leichter bis mittelschwerer Alkohol-Mißbrauch zu endgültigen Organschädigungen führen (Embryopathia alcoholica). Der Alkohol ist zum wichtigsten keimschädigenden Gift geworden. Nicht anfangen ist leichter als abgewöhnen.

Infektionen. Die heutige Medizin hat erkannt, daß Infektionen in der Schwangerschaft zu Entwicklungsstörungen der Frucht führen können. Deshalb wird wegen der Röteln geraten, daß sich Frauen *vor* der Schwangerschaft impfen lassen, wenn sie die Krankheit nicht natürlich durchgemacht haben. Es gibt sicher noch mehr schleichende Infektionen, die auf das werdende Kind einwirken können. Dazu rechne ich den »alten Krankheitszunder« *Hahnemanns* (Psora, Sykose, Syphilis, S. 44), die Tuberkulose, die Grippe und die slow virus infections (schleichend verlaufende Virusinfektionen) und empfehle möglichst bald nach Eintritt der Schwangerschaft die »Eugenische Kur«. Die Arznei soll vom Arzt nach den Symptomen bestimmt werden.

Keimschädigung durch Arzneimittel. Leider ist weder das frei käufliche Medikament noch das ärztlich verordnete frei von »Nebenwirkungen« (Contergan). Die natürlichen Heilweisen haben sich seit Jahrtausenden bewährt, die homöopathischen Mittel seit beinahe 200 Jahren. Sie sind nach amtlichem Urteil unschädlich, wenn auch diejenigen, die sie *nicht* kennen, ihre Verachtung dadurch ausdrücken, daß sie sie als unwirksam bezeichnen.

Kürzlich berichtete eine Schwangere, die sonst nicht in homöopathischer Behandlung ist, sie habe seit Monaten Erbrechen, die bisherigen Mittel helfen nicht und sie habe allmählich Angst um das Kind wegen der vielen Tabletten. Ich gab ihr zunächst Colchicum C 200, weil sie überempfindlich gegen Essensgerüche war; es half nicht. Dann hörte ich mir alle Umstände genau an: Sie hatte - auch außerhalb der Schwangerschaft - Übelkeit, Magenschmerzen und Durchfälle bei Aufregung; ich gab Argentum nitricum D12 *(s.S. 127),* und das half schnell und dauerhaft. Das häufigste Mittel bei Schwangerschaftserbrechen ist Cocculus (D4 bis D6), wenn Empfindlichkeit gegen Autofahren und gegen Speisegerüche besteht.

Die technische Medizin. Ihre Ausdehnung auf die natürlichen Vorgänge der Schwangerschaft und der Geburt ist problematisch. Gewiß gibt es in Schwangerschaft und während der Geburt manchmal Schwierigkeiten, denen die Natur nicht gewachsen ist. Ich glaube weder an die Vollkommenheit der

Natur noch meine ich, man müsse zur Natur »zurückkehren«. Aber müssen wir die Eigenleistung der Natur wirklich über das Notwendige hinaus durch unsere Kunst ersetzen? Die meisten Geburten laufen ohne jeden technischen Eingriff normal ab. Ich habe bei vielen hundert Geburten selten technische Eingriffe nötig gehabt. Pulsatilla D6, vier Wochen vor der Geburt 2mal tägl. 1 Tabl., manchmal Caulophyllum D12, wenn Wehenschwäche bekannt war; mit Wehenbeginn Arnica D4, 3mal 1 Tabl., während der Geburt und in den ersten Wochenbettstagen, mit diesen Arzneigaben kam ich in den meisten Fällen aus. Wenn wir die natürliche Leistung durch künstliche Eingriffe ersetzen, wachsen die Anforderungen an die Medizintechniker. Die lebendige Eigenleistung ist unersetzlich, und nur auf dieser Grundlage hat unsere zusätzliche ärztliche Leistung einen Sinn.

Immer wieder zeigt sich, daß das wachsende Kind gefährdet ist, besonders in den ersten Schwangerschaftsmonaten. Ich möchte diesen Abschnitt deshalb mit dem Rat abschließen, die schwangere Frau möge sich insgesamt »zurückhalten« und beispielsweise von Fabrikarbeit freigestellt werden. Selbstverständlich soll sie sich nicht »schonen« und hinlegen. Sie muß tätig bleiben, wenn sie fähig bleiben will, nur soll sie ihre Arbeit nach ihren Umständen einteilen.

Die Betreuung des Neugeborenen

Das Baden. Vor der Geburt umgibt das Kind eine gleichmäßige Wärme von etwas über 37°C. Seine Wärmeregulation ist mindestens in den ersten zwölf Stunden nach der Geburt noch nicht ausreichend - bei Frühgeburten noch wesentlich länger -, so daß das verständige Verhalten der Umgebung die ungenügende Eigenleistung ausgleichen muß. Bei klinischer Überprüfung zeigte sich, daß nur die Babies normale Körpertemperatur hatten, die *nicht* gebadet und außerdem in Wärmebettchen untergebracht waren; bei allen andern fanden sich Untertemperaturen bis zu 1°C.

Wir wissen nicht, wie sich dieser Abkühlungsschock auf die Erstprägung der Temperaturregelung auswirkt, aber wir müssen damit rechnen, daß dadurch mangelhafte Temperatur-Einstellungen entstehen können. Der verstorbene Wiener Frauenarzt, Prof. *Husslein,* schrieb: »Umso unbegreiflicher ist, daß noch immer auch in großen Gebärabteilungen Kinder während der Versorgung im Kreißsaal auf 35°C abkühlen, wo doch die Verhütung dieser gefährlichen Belastung so einfach wäre. Wir weisen bei jeder Fortbildungsveranstaltung darauf hin, es zeigt sich aber, wie schwierig es ist, eingefahrene Riten zu druchbrechen.« Die für das Neugeborene schädliche Gewohnheit dauert also an. Immerhin sieht man jetzt wieder Strickmützen auf den Köpfen der Neugeborenen, selbst in Pressefotos aus großen Kliniken. Wir machen Fortschritte und gleichen sie durch periodische Rückschritte wieder aus.

Besprechen Sie diese Sorge mit Ihrem Arzt vor der Entbindung.

Die Trennung von Mutter und Kind. In ungenügend warmem Zustand kommt das Neugeborene nicht in die warmen Arme der Mutter, wie es natürlich wäre, sondern in das hygienisch einwandfreie chromstahlblitzende Kinderzimmer, wo es in den Kreis seiner schreienden »Kollegen« aufgenommen wird. Man kann verstehen, daß dem verstorbenen *Eugen Roth* der Gedanke kam, das Erblicken des Weltlichts könnte für einen Menschen der einzige Lichtblick seines Lebens gewesen sein. Das Kind braucht gerade nach der Geburt die körperliche Nähe der Mutter am dringendsten, da zu diesem Zeitpunkt die Erstprägung der menschlichen Beziehungen erfolgt. Wenn diese sensible Phase versäumt wird, so bleiben alle nachträglichen Bemühungen und Geldausgaben, die ersten grundlegenden Fehler in der kindlichen Einstellung auszugleichen, umsonst. Für die versäumte Gründung des menschlichen Vertrauens gibt es keinen Ersatz. Ich rate den Müttern, sich nicht darauf zu verlassen, daß die soziale Errungenschaft des rooming-in (*ein* Raum für Mutter und Kind) bald verbindlich vorgeschrieben wird.

Verständigen Sie sich vorher mit Ihrem Geburtshelfer darüber, daß Ihr Kind unter allen Umständen bei Ihnen bleibt.

Die künstliche Ernährung. Wer dem Neugeborenen Ersatz für die natürliche Ernährung gibt, ihm also die Brust ohne Not vorenthält, macht den dritten grundlegenden Fehler. Die grundlegenden Fehler sind am Anfang am leichtesten einzurichten und zu vermeiden. Manche Mutter kam nach der Krankenhausentlassung weinend zu mir, weil sie stillen wollte und angeblich nicht konnte. Häufig kam das Stillen noch nach dieser Zeit voll in Gang.

Die »feste Bezugsperson«. Erste Aufgabe der Mutter ist es, für ihr Kind in den ersten sechs Lebensjahren die »feste Bezugsperson« zu sein. Wenn man schon bereit ist, den Ersatz zu bezahlen, so ist es völlig unverständlich, warum man die natürliche Mutter benachteiligt. Gewiß kann in einer Demokratie das Verhalten der Frauen nicht verordnet werden, aber hat die öffentliche Gewalt nicht die Möglichkeit, ihre Meinung zu verbreiten, Grundsätze zu vertreten und möglichst zu verwirklichen? Ich anerkenne, daß die neue Gesetzgebung einen Anfang macht: Ein halbes Jahr hat das Baby einen »Anspruch auf die Ganztagsmutter«. Für eine richtige Mutter gibt es keinen Ersatz. Das sollte endlich in das öffentliche Bewußtsein eingehen.

Die Anfänge der Kräfteabstimmung

Mit der Geburt tritt das Kind in die Welt ein, in die es nach seinen Erbanlagen gehört und in die es normalerweise von seinen Angehörigen aufgenommen wird. Dieses Aufnehmen beginnt in dem Augenblick, in dem Mutter und Kind sich zum ersten Mal ins Auge blicken. Vom kindlichen Blick erregt, zieht die Mutter das Kind an sich, sie lächelt, streichelt, liebkost es und drückt es an sich. Während dieser zeitlich eng begrenzten gesteigerten Empfänglichkeit (sensible Phase) prägt sich das mütterliche Gesicht dem Kind und das kindliche Gesicht der Mutter unauslöschlich ein. Das ist die Erstprägung. Mit diesem Augenblick beginnt die vertrauensvolle menschliche Beziehung. Das ist der Kern der Weltbekanntschaft, um den sich alle weitere Welterfahrung kristallisiert. In jedem neuen Augenblick treffen die aus dem inneren Gesetz der Erbanlage kommenden Antriebe (Impulse) mit den von den Sinnesorganen vermittelten äußeren Eindrücken zusammen. Wie sie sich einigen und entzweien, zeigt sich später in den Lebens- und Krankheitserscheinungen.

Wird diese gefühlsmäßige Beziehung zwischen Mutter und Kind mangelhaft gegründet, so ist der weitere Zusammenhang gestört. Autistischen Kindern fehlt diese Beziehung in unterschiedlichem Ausmaß. Sie bleiben in sich zurückgezogen, introvertiert, verschlossen, kontaktarm, lernen spät oder wenig sprechen, verstehen nicht und werden nicht verstanden. Sie haben eine übermächtige Sehnsucht nach »der Mutter«, suchen ziellos und mißtrauen der realen Mutter tief. Wenn sie Glück haben, finden sie einen Mutter-Ersatz, wie ihn die Graugans bei Professor *Lorenz* fand.

Von der Mutter bekommt das Kind nicht nur seine Erstnahrung, es empfängt von ihr auch den ersten Schutz vor Krankheitserregern (Immunität). Sie gibt ihm den Lebensraum und die nötige Entwicklungshilfe. So lernt das Kind angemessen beobachten, sich bewegen, zufassen, stehen, gehen und sprechen. Wenn sie sich »verstehen«, geht das mehr oder weniger spielend. Auf dieser Basis lernt das Kind auch, wie es sich zunehmend mit der unbekannten und zum Teil unzuträglichen Umwelt auseinandersetzen muß, besonders mit den »Krankheitserregern«.

II Arznei und Krankheitserscheinungen

Krankheiten im Kindesalter

Akute Infektionskrankheiten

Wenn man den »Kampf mit den Bakterien« als Auseinandersetzung mit dem Ziel der Anpassung versteht, so hat man die rechte Einstellung. Es geht nicht um die »Ausrottung« irgendwelcher »Krankheitserreger«, sondern um friedliche Koexistenz mit Lebewesen, die im Gesamtleben so wichtig sind wie Mensch oder Tier. Wer sich durch jedes Fieber in Panik versetzen läßt, anstatt es als natürliche Ausgleichsbewegung zu verstehen, der wird mit dem Griff zu Fieberzäpfchen und Antibiotika nur den natürlichen Anpassungsvorgang erschweren oder unmöglich machen. Die natürlichen Heilmaßnahmen führen auf die Dauer auch allein zur Heilung.

Die üblichen Kinderkrankheiten wie Masern, Scharlach, Röteln, Keuchhusten, Windpocken, Mumps, Diphtherie, Kinderlähmung sind überwiegend keine bakteriellen Erkrankungen, so daß Antibiotika meist gar nichts nützen. Aber selbst wenn wir die Erreger künstlich beseitigen könnten, hätten wir nur »Zeit« gewonnen. Kein lebendiges Problem wird durch die Tötung des Gegners wirklich gelöst. Im irdischen Raum bleibt keine »ökologische Nische« leer; für jedes beseitigte Lebewesen wird ein anderes seinen Platz einnehmen, und mit diesen neuen unbekannten »Erregern« werden wir nicht weniger Schwierigkeiten haben als mit den alten, sondern mehr; man muß sie ja erst kennenlernen (vgl. Aids). Die natürliche Abwehr macht einmal im individuellen Leben ihre Erfahrung mit dem Erreger, und dann haben wir meist eine lebenslängliche Immunität. Sie wählt auch offensichtlich den rechten Zeitpunkt aus: Ich habe nicht nur einmal erlebt, daß ein Kind seine Infektion nicht nach dem menschlichen Kopf bekam, sondern wenn es der Natur paßte.

Es hat gewöhnlich keinen Sinn, den natürlichen Austrag der Kinderkrankheiten mit chemischer Gewalt zu verhindern und die Symptome zu verdrängen. Die körperliche Verdrängung der Probleme hat kein anderes Gesicht als die inzwischen besser bekannte seelische Verdrängung *(Freud)*. Konflikte, die man verschiebt, werden unter wechselnden Masken so lange wieder auftreten, bis man sie löst. So können Ausschläge nach Impfungen verschwinden, an ihrer Stelle jedoch Durchfälle, Asthma oder Rheuma erscheinen – dann ist der Ausschlag »nach innen geschlagen«. Solche Zusammenhänge sind unter wissenschaftlichen Aspekten aufmerksam und vorurteilslos zu beobachten. Geheilt ist diese Krankheiten erst, wenn sie nicht wiederkommen. Und das erreicht die Natur.

Unsere technische Hilfe sollte klugerweise auf der natürlichen Leistung aufbauen, anstatt sie ersetzen zu wollen.

Arzneibild

▶ Chamomilla (Cham.)

Das Mittel eignet sich besonders bei fieberhaften Erkrankungen zu der Zeit, in der die Zähne durchbrechen. Dann ist oft eine Wange rot, die andere blaß, kalte Umschläge bessern die Zahnschmerzen. Das gereizte zornige Kind ist sehr empfindlich gegen Schmerzen, es schreit und brüllt ganz ungebärdig, will auf dem Arm getragen und geschaukelt werden, was die Schmerzen vorübergehend lindert. Man gibt in diesem Fall mehrmals 5 Kügelchen Chamomilla D6 glob. Wenn das Kind beim Zahnen grüne Durchfälle hat und Milch nicht verträgt, ist die Anzeige für Chamomilla noch zuverlässiger. Einem Kind, das nach Ärger erbricht, hustet, Kopfschmerzen bekommt oder nicht schlafen kann, ist oft mit Chamomilla zu helfen. Trotz aller Teilnahme-Bedürftigkeit will der Chamomilla-Patient aber nicht, daß man ihm zu nahe kommt; er will nicht angesehen, angeredet und angefaßt werden. (Ant.c)

Die Anfänge der chronischen Krankheit

Hahnemann sieht in der Krankheit eine Kräfteverstimmung, die sich in Symptomen äußert. Die Juck- und Krätzkrankheit ist das Symptom der Kräfteverstimmung (Psora), die zuerst an der Oberfläche, an der Grenze zur Umwelt, erscheint.

Ähnliche und ergänzende Beobachtungen wurden inzwischen auch von den Kinderärzten *Czerny* und *Birk* und andern Ärzten *(Jochmus, Korting)* gemacht. Besonders intensiv wurde das endogene Ekzem erforscht. Dabei fielen immer wieder die Zusammenhänge von Haut- und Schleimhauterkrankungen (Ekzem, Heuschnupfen, Asthma) mit Störungen des lymphatischen Systems (Allergie), Erkrankungen des Bewegungsorganismus (Rachitis, Spasmophilie, Tetanie) und Funktionsstörungen des Zentralnervensystems (Migräne, funktionelle Syndrome) auf. *Gottron* schreibt hierzu: »Bei einer großen Zahl von erwachsenen jugendlichen Ekzematikern haben wir während der ersten Kindheit einen Mangel an natürlichem Zugeneigtsein besonders bezüglich der Mutter feststellen können, weiterhin das Vorhandensein einer Hemmung bei der Entwicklung des Sicherheitsgefühl und später auch das Vorkommen von Störungen des Sexual- und Gefühlslebens. Die Untersuchungen der ekzematösen Säuglinge und der Haltung ihrer Mutter haben uns ebenfalls in der Mehrzahl der Fälle eine Störung der Gemütsbeziehungen zwischen Kind und Mutter aufdecken lassen!« (Benutzen Sie diesen Satz *nicht* zu unsinnigen Selbst- und Fremdbeschuldigungen).

Die ererbte und erworbene Krankheitsbereitschaft (Diathese) erscheint nur, wenn sie durch einen äußeren Anlaß (»Ursache«) hervorgerufen wird. »Wir erkranken nur, wenn unser Organismus dazu disponiert und aufgelegt genug ist« (§ 31). Den üblichen Gesundheits-Vorurteilen halte ich die Auffassung *Stierlings* entgegen, der sagt, die Kränksten seien eigentlich die Gesündesten: Sie nehmen die Auseinandersetzung mit dem Kranksein auf sich und tragen aus, wo die andern nur die augenblicklichen Probleme verschieben.

Die exsudativ-lymphatische Diathese

Hauterscheinungen. Bei der exsudativen Veranlagung sieht man zuerst die Hauterscheinungen. Manchmal schon am Ende der ersten Lebenswoche zeigen sich kleine rote Stippchen auf den Wangen, die verschwinden und wieder auftauchen, bis sie als Milchschorf bleiben. Auf beiden Wangen entwickelt sich ein juckender Hautausschlag, der von leichter Rötung und Abschuppung bis zum schweren Nässen mit Krusten reicht. Kommen Eitererreger dazu, so kratzen die Kinder und verbreiten den Ausschlag im ganzen Gesicht und auf dem Kopf. Von der dritten Woche an kann man im Haar fettig glänzende Hauttalgschuppen finden (Gneis). Zur gleichen Zeit entstehen die Zahnpokken (Strophulus), Gruppen von kleinen nesselähnlichen Quaddeln, die nach einigen Tagen abblassen und kleine, rötliche, stark juckende Knötchen hinterlassen, die noch einige Zeit tastbar bleiben. Manchmal verwandeln sie sich in Bläschen, die wie Windpocken aussehen (nicht im Gesicht, und an den Schleimhäuten). Das Wundwerden (Intertrigo) stellt sich dort ein, wo Haut auf Haut liegt: in den Gesäßfalten, Leistenbeugen, Achselhöhlen, am Hals und hinter den Ohren.

Die Hauterscheinungen entwickeln sich im allgemeinen um so früher und heftiger, je mehr Übergewicht das Kind hat; es besteht also eine Beziehung zur Ernährung *(Czerny)*. Meist sind diese Erscheinungen im ersten Lebensvierteljahr am stärksten, um dann im Laufe des zweiten Lebensjahres nachzulassen und zu verschwinden. Fortdauernde Ausschläge bezeichnet man als kindliches Ekzem, das im Kleinkindes- und Schulalter besonders in den Knie- und Ellbeugen auftritt (Neurodermitis). Im Erwachsenenalter leiden diese Menschen oft außerdem an allergischen Krankheiten (Migräne, Asthma, Heuschnupfen).

Die Hautsymptome können sich vorübergehend bessern oder verschwinden, wenn das Kind Durchfall hat. Wenn ein exsudatives Kind bei natürlicher Ernährung nicht gedeiht, so bedeutet das wohl, daß seine Beziehung zur Mamma (zur Brust, zur nährenden Mutter) gestört ist. Die Stillstörungen können darin bestehen, daß das Kind die Brust verweigert, zu langsam, zu wenig oder auch zu schnell und zuviel trinkt (meist folgt dann »Speien«). Das eine Kind ist zum Trinken nicht wach zu kriegen, das andere schreit vor Ungeduld, das eine hat dünne Stühle, das andere Verstopfung, das eine gedeiht ungenügend, das andere übermäßig. Am Magendarm treten bei gleichzeitiger neuropathischer Diathese Krämpfe auf: »Wiederkäuen«, Speiseröhren- und Pförtnerkrampf, Nabelkoliken. Hier helfen Calcium, Cuprum, Nux vomica und Magnesium oft.

Atemwegserkrankungen. Exsudative Kinder leiden vermehrt an Atemwegserkrankungen. Die Nasen-Rachen-Katarrhe zeigen sich durch wechselnd hohes Fieber und Störungen des Allgemeinbefindens an. Die geschwollene Schleimhaut erschwert die Atmung, wodurch das Trinken der Säuglinge behindert wird (Sambucus D3). Zunächst ist außer einer Rötung der hinteren Rachenwand wenig zu sehen. Erst wenn das Fieber nach zwei bis drei Tagen sinkt, fließt einige Zeit Schleim aus der Nase und auf der hinteren Rachenwand. Die geschwollenen Nacken- und Kieferwinkellymphknoten bilden sich bis zum nächsten Katarrh nicht ganz zurück.

Die wiederholten Entzündungen befallen außer dem Nasen-Rachen-Raum auch die Nebenhöhlen, die Mandeln und das Mittelohr. Breiten sie sich auf den Kehlkopf aus, so kommt es oft zu »Krupphusten« *(s.S. 121)* und zu asthmatischen Bronchitiden. Zu erwähnen sind noch die Augenbindehautentzündungen und eine eigenartig gefleckte Zunge (Landkartenzunge). Meist verläuft der Katarrh in der gleichen, dem einzelnen Kind eigentümlichen Form ab.

Bindegewebsschwäche. Bei der exsudativen Diathese sind nicht nur die Leistungen der Haut und der Schleimhäute gestört, sondern auch die des Bindegewebes und des Nervengewebes. Das harte Bindegewebe hat die Aufgabe, dem Menschen Form, Halt und Beweglichkeit zu verleihen (Skelett-Muskel-System), das *weiche* Bindegewebe muß die innere Eigenheit des Einzelmenschen sichern, indem es als fremd erkennt und ausscheidet, was nicht mit seinem einmaligen Baumuster übereinstimmt (Eiweißspezifität).

Zu diesem Immunsystem (Grundgewebe nach *Pischinger*) gehören die schon erwähnten Lymphknoten, die Mandeln, die Milz, die sonstigen Lymphgewebsbildungen in der Schleimhaut der Atemwege und des Darmes (Blinddarm) und als ordnende Hormondrüse der Thymus. Weiße Blutkörperchen, die aus diesen Organen stammen, haben die Aufgabe, fremde Stoffe und Lebewesen, die sich im Körperinneren finden, zu erkennen, aufzulösen oder auszuscheiden. Diese Abwehraufgabe ist im allgemeinen bekannt;

weniger bekannt ist, daß auch im eigenen Körper laufend Fehlbildungen entstehen, »Stoffwechselentgleisungen«, die von diesen weißen Blutzellen erkannt und ausgeglichen werden. Alle Gewebe, die von der grundgesetzlichen individuellen Ordnung abweichen, z.B. Krebszellen und ihre Vorstufen, werden als fremd angesehen und aufgelöst. Bei verstimmter Lebenskraft kommen Fehler vor: Wirken Teile des Individuums mit dem »Fremden« zusammen, so entstehen chronische »Herde«. Besonders im Mund- und Rachenraum entwickeln sich chronische Entzündungen, z.B. chronische Mandelentzündung. Hier können Entzündungen auch nach einer Operation andauern und werden dann empfunden. Chronische Nebenhöhlen- und Mittelohrentzündungen, Zahnentzündungen, Rachenentzündungen und Kehlkopfentzündungen können unauffällig andauern und haben dann eine große Bedeutung für chronische Erkrankungen wie Gelenkrheumatismus, Herz-Kreislauf-Erkrankungen, Nierenschädigungen, Lungenprozesse.

Die Vermehrung des Lymphgewebes zeigt an, daß einerseits die Leistung ungenügend ist, daß es aber andererseits gesteigerte Anstrengungen macht, das Gleichgewicht wieder herzustellen. In diesem Zusammenhang sind die allergischen Reaktionen zu verstehen. Die übermäßige Antwort auf kleine Reize bedeutet »reizbare Schwäche«, der wir bei der neuropathischen Diathese wieder begegnen werden.

Die Aufgabe des harten Bindegewebes ist es, mit der Bildung des Skelett-Muskel-Systems dem Menschen seine Gestalt und ein möglichst günstiges Verhältnis von Festigkeit und Beweglichkeit zu geben. Beim Kind ist die wichtigste Erkrankung in diesem Bereich die Rachitis. Die schweren Formen dieser Skeletterkrankung gehen zurück, seitdem mit Vigantol vorbeugt wird, die Neigung zu Kalkstoffwechselstörungen dauert jedoch an. Skelettbildungsstörungen treten während der ganzen Zeit des Knochenwachstums auf, und manchmal erkennt man erst an der vorzeitigen »Abnutzung«, daß eine unbemerkte Entwicklungsstörung leichten Grades vorlag. Wenn das Gewebe nicht gleichmäßig wächst, kommt es zu Wachstums- und Reifungsdysharmonien. Einerseits werden Gewebsteile überstürzt und übermäßig gebildet, z.B. das Knorpelgewebe bei der Rachitis. Andererseits ist seine Wertigkeit und Ausreifung, seine Einordnung in das Gesamtorgan gestört. Dieses gestörte Wachstum ist mit Bewegungsstörungen verbunden, die sich als Ungeschicklichkeit und Unfallneigung bemerkbar machen.

Die neuropathische Diathese

Schon bei Mineral- und Vitaminstoffwechselstörungen sind vorübergehend neuropathische Symptome zu beobachten *(Jochmus)*. Bei neuropathischen Kindern verstärken sich nicht nur die Symptome der übrigen Diathesen, es bestehen auch enge zeitliche und klinische Zusammenhänge zwischen ihnen (z.B. zwischen Rachitis und Muskelkrämpfen).

Allgemeine Symptome. Neuropathische Kinder sind »nervös« übererregt, vor allem das vegetative Nervensystem ist überempfindlich. Diese Übererregbarkeit ist verbunden mit einer herabgesetzten Reaktionssicherheit. Das Kind ist zwar lebhaft, aufgeweckt und überbeweglich, aber sein Verhalten ist nicht angemessen. Das bedeutet, daß die kleinste unpassende Speise sofort zu übertriebenen Reaktionen führt (z.B. Durchfall, Erbrechen, Krämpfe), jeder Schnupfen zu einem Drama wird, die Erkrankungen kein Ende nehmen (z.B. Keuchhustenanfälle noch nach Monaten beim kleinen ärgerlichen Anlaß) und daß sich die abwegigen Reaktionsbereitschaften festsetzen (Fixierung bedingter Reflexe). Wegen dieser unangepaßten Verhaltensweise ist das Kind schnell erschöpft und meist mager.

Säuglingsalter. Schon in den ersten Lebenstagen machen sich die neuropathischen Kinder durch ihre Unruhe bemerkbar. Kinder, die nicht krank sind, schlafen in den ersten Lebenstagen meist. Die Neuropathen sind alle Augenblicke wach. Das mag manchmal gesteigertem Nahrungsbedürfnis entsprechen (Calc. fluor.). Auf jeden Fall wird es von den (nervösen) Eltern so gesehen, wenn das Kind nach dem Trinken unruhig wird, anstatt einzuschlafen; es beruhigt sich erst, wenn es aufgenommen, herumgetragen oder geschaukelt wird (Cham.). Der Schlaf ist oft von ausfahrenden Bewegungen der Arme unterbrochen, oder die Kinder erwachen am kleinsten Geräusch. Das normale Kind wacht an Gesprächen in Zimmerlautstärke nicht auf, aber der nervöse Säugling ist sofort munter. Vermutlich sind Schlaftiefe und Schlafbedürfnis gering; das Kind ist schreckhaft, empfänglich für Geräusche und Licht, lebhaft, aufmerksam, frühreif (beschleunigte Entwicklung), schnell gewöhnt an Zugeständnisse, die sich nicht mehr abgewöhnen lassen. Die Muskulatur ist gespannt, der Fazialisreflex gesteigert. Die körperlichen Fähigkeiten entwickeln sich frühzeitig, die Kinder heben bald den Kopf, lernen meist früher stehen als sitzen; viele haben gewohnheitsmäßiges Erbrechen und bekommen einen Stimmritzenkrampf bei angenehmen oder unangenehmen Erregungen.

Kleinkindesalter. Während dieser Phase sind sie meist schlechte Esser. Sie sind appetitlos, kauen schlecht und essen schnell und sind sehr durstig. Ihr natürlicher Geschmack ist schwach. Nervöse Störungen sind Daumenlutschen, Nägelkauen, Kratzen (als Abreaktion angestauter Gefühle, Staphisagria), Kopfrollen, Schlafwandeln, Schreien im Schlaf, Zusammenzucken, Bettnässen (im ersten Schlaf, Sepia). Für das nächtliche Aufschreien hilft oft gut Jalapa D6. Die respiratorischen Affektkrämpfe (Blauwerden, Wegbleiben) werden am besten nicht sichtlich beachtet (Ignatia, Thuja).

Schulalter. Hier kommt es oft zu Stottern, Schwindel, Kopfweh, Ohnmacht, Nabelkoliken, krampfhaften Zuckungen im Gesicht, Zähneknirschen und Bewegungshyperthermie (erhöhte Körpertemperatur). Die Kinder kommen erschöpft aus der Schule heim; mißt man die Temperatur im After, so kann sie 38°C übersteigen. Läßt man das Kind eine Stunde liegen und mißt nach, so ist die Temperatur normal.

Vegetative Dystonie und vor allem »Streß« sind die moderne Fortsetzung der Neuropathie im Erwachsenenalter.

Die neuropathische Diathese ist »erblich«. Die Eltern nervöser Kinder sind meist selbst »nervös« und tragen zur Entwicklung der kindlichen Neuropathie nach Kräften bei. Leider ist die Familien-Diskussion um den Schuldigen unfruchtbar. Entscheidend ist die Frage: Wie muß ich mich verhalten, um aus dieser falschen Bereitschaft herauszukommen? Bei unserer heutigen Verkümmerung und Verachtung der Gefühle und der Übertreibung der Erziehungstheorien ist der Rat immer richtig: Wenden Sie sich dem Kind mit ganzem Herzen so beständig wie möglich zu. Bei der eigenen Gefühlslabilität muß man sich darum bemühen: Die höchste Arznei ist die Liebe *(Paracelsus).*

Arzneibilder

Calcium carbonicum, Calcium phosphoricum und Calcium fluoratum sind Grundmittel für die Behandlung der exsudativ-lymphatischen Diathese. Diese Mittel sind besonders wirksam, wenn über ihre beschriebenen Symptome hinaus auch noch die exsudative Diathese vorliegt.

▶ Calcium carbonicum (Calc. carb.)

Calcium erscheint in der lebendigen Entwicklung schon bei den Einzellern als haltgebender Stoff, und zwar als Innen- oder Außenskelett (Schalen). *Hahnemann* gewann sein Calcium carbonicum aus zerriebenen Austernschalen. Nach den heutigen Vorstellungen ist die wichtigste Aufgabe des Calciums, die Durchlässigkeit der Zellhaut so zu steuern, daß das für das Leben entscheidende Gleichgewicht zwischen innen und außen, zwischen dem Teil und dem Ganzen, möglich wird. Wenn dieses Gleichgewicht gestört ist, so wird der Teil für sich haltlos und im Verhältnis zum Ganzen ungenügend.

Beziehung zur Umwelt. Einem in diesem Sinn gestörten Menschen fehlen die Grundlagen seiner inneren Sicherheit ebenso wie die einer ausgewogenen Beziehung zur Umwelt. Nicht nur das Verhältnis zu den Mitmenschen, zur Nahrung und zur Leistung ist gestört, sondern jenes Urverhältnis zur Mutter und zum Selbst, das man gewöhnlich als Selbstvertrauen bezeichnet. Damit fehlt diesem Menschen das natürliche Gefühl von Berechtigung und Rechthaben, das nach *Jung* ein Geschenk der Anima ist. Wer sozusagen mit seiner Unzulänglichkeit auf die Welt gekommen ist, der wird von Anfang an mit seinen Problemen nicht fertig. Indem er Tag und Nacht sein Ungenügen erfährt, wächst sein Minderwertigkeitsgefühl, eine Schwäche bestätigt die andere, bis er hoffnungslos eingeschlossen ist (Suizidneigung).

Als Ersatz für den ungenügenden eigenen Halt sucht das Kind Liebe, Wärme, Nahrung, Geborgenheit, Schutz, Hilfe, Trost und Unterstützung bei der Umwelt, zuerst bei der Mutter, die nicht selten selbst liebes- und anlehnungsbedürftig ist. Es muß sich auf seine Umgebung verlassen und ist seinerseits bemüht, durch sein Verhalten die Hilfsbereitschaft der Umgebung zu erregen; es ist entsprechend brav, freundlich, sanft, schüchtern, weinerlich, ängstlich und anhänglich und zeigt Verlangen nach Süßem.

Diesen Hilflosen kann man am besten helfen; sie sind nicht nur für ein herzliches Verständnis dankbar, sie sprechen auch gut auf *eine* Gabe Calcium carbonicum D30 (bis D200) an, wenn ihre Grundsymptome Müdigkeit, Haltlosigkeit und Frostigkeit sind.

Symptome. Die Anlehnung an andere macht den Haltsuchenden von deren Forderungen abhängig, denen seine verminderte Leistungsfähigkeit nicht gewachsen ist. Das mangelnde Vertrauen in die Zuverlässigkeit der Beschützer nährt jene Angst und Furcht, die man als Grundstimmung des Calcium carbonicum-Menschen bezeichnen kann. Es ist die Angst des Hilflosen, des Verlassenen. In der Nacht und im Dunkeln ist diese Stimmung besonders stark. In den Arzneimittellehren sind die Symptome aufgeführt: traut sich nicht die Augen zu schließen vor lauter Angst; Angst vor Enttäuschung; Furcht aus der Herzgrube aufsteigend, sieht Gespenster, Feinde, Tiere; Furcht, den Verstand zu verlieren. Der Patient ist schlaflos wegen Gedankenzudrang. Im Schlaf schreit und stöhnt er, knirscht mit den Zähnen, nachtwandelt und träumt vom Fallen.

Das Calcium carbonicum-Kind hat großen Hunger, nimmt überdurchschnittlich zu und entwickelt sich oft zu einem »Pausbackenengel«. Wenn die Stoffwechselstörungen nicht sehr erheblich sind, ist die weitere Entwicklung nicht unerfreulich. Zwar führt das Übergewicht zu einer stärkeren Ausbildung der exsudativen Diathese, aber das kann sich bei kluger Zurückhaltung mit der künstlichen Hautreizung (Seifen, Salben, Sprays) durchaus im Rahmen halten. Die Infektionsanfälligkeit ist gesteigert; je mehr man die natürliche Abwehr unterstützt, desto schneller tritt die Diathese in den Hintergrund. Auch den übertriebenen Hunger kann man vorsichtig steuern (natürliche Speisen, sobald kauen möglich ist), anstatt ihn anzuheizen. Die Kinder haben eine geringe Leistungsbreite; sie sind empfindlich, reizbar, lebhaft, geschäftig, gewissenhaft, fleißig und auch hastig, aber schnell erschöpft. Man muß auf diese Eigenart Rücksicht nehmen, um ihre schnelle Niedergeschlagenheit nicht zu fördern. Der Mensch kann bis ins Alter unter diesen Umständen seine (ihm angemessene) Leistungsfähigkeit behalten, wenn eine verständige Umgebung ihn in seiner Art duldet und versteht. Er kann dann vollblütig sein, geschäftig, geistig aufgeweckt, wobei sogar Besserung durch geistige Anstrengung eintritt. Selbst Stimmungsausbrüche wie Zorn oder Eifersucht kommen vor; mit Trotz, Eigensinn und Widerspenstigkeit macht er Anläufe zum Selbständigwerden. Auch Hochmut und Anmaßung können für kurze Zeit auftreten. Bei den schweren Störungen wird freilich das übliche Bild von Calcium carbonicum vorherrschen. Das anfangs lebhafte, aufgeweckte, zu den schönsten Hoffnungen berechtigende Kind wird mit der Zeit träge und blaß. Die straffe Haut wird weich und aufgeschwemmt. Die Ausschläge werden umso heftiger - nässend krustig -, je mehr das Gewicht zunimmt. Haare fallen aus, Nägel sind in ihrem Wachstum gestört. Der Stuhlgang wird träge, die Verstopfung hartnäckig. Einerseits besteht ein übertriebener Hunger, andererseits bekommt das Kind Bauchweh vom Essen. Die Erwachsenen empfinden ein Völle- und Lastgefühl im Bauch, Magendruck bis zum Hals, das Essen liegt ihnen wie ein Stein im Magen. Manchmal hört der Appetit auf, ehe die Magenschmerzen einsetzen, manchmal besteht er trotz der Eßhemmung fort. Im ungünstigen Fall müssen die Menschen essen, obwohl sie keinen Appetit haben, weil es ihnen sonst sterbenselend wird.

Je mehr man die Atemwegsinfekte bekämpft, desto häufiger erkranken die Kinder. Kürzlich sagte mir eine Mutter: »Mein Kind bekommt alle drei Wochen seinen Penizillinsaft, das geht nun fast ein Jahr; kaum ist ein Infekt weg, kommt der nächste.« Bei diesen Kindern werden dann die vergrößerten Mandeln entfernt, ohne daß sich der Zustand ändert. Nicht ganz selten wird dabei das Kind überempfindlich und bekommt zusätzlich Arzneiausschläge, Nesselsucht und andere Allergien wie Heuschnupfen oder Asthma.

Bewegungsfähigkeit. Durch die gestörte Skelettbildung wird das Bewegen allgemein und besonders das Sitzen, Stehen und Gehen verzögert. Einzelne Knochenabschnitte werden weich und verbiegen sich, besonders an Stellen die dauerndem Druck oder Zug ausgesetzt sind. Ein Gummizug um den unteren Brustkorb beispielsweise verursacht einen Schnürring. Die Zähne kommen spät, stehen oft falsch und sind kariesanfällig.

Die Muskeln sind meist schlecht entwickelt, schlaff, mit anfallsweiser Spannung (Spasmophilie, Tetanie oder Epilepsie). Die Bewegungen sind ungeschickt schwerfällig und langsam; das Kind fällt leichter und wird mit der Arbeit nicht fertig. Jede kleine Anstrengung erschöpft und führt zum Schweißausbruch. Der ältere Mensch kann nicht die kleinste Last tragen oder Treppensteigen ohne Herzklopfen, er kommt außer Atem und muß sich setzen (»Mattherzigkeit«). Es besteht eine Neigung zu Krampfadern, Blutarmut und Blutungen. Die geschlechtliche Entwicklung ist oft ungenügend. Die Periode ist meist verfrüht, lang und stark. Im ganzen besteht eine große Empfindlichkeit gegen Kälte; die Füße sind eiskalt und wie feucht. Naßkaltes Wetter und Luftzug verschlimmern die Beschwerden.

Geistige Verarbeitung der Probleme. Sie ist ebenso verlangsamt wie die körperliche Bewegung. Die Aufmerksamkeit ist vermindert, die Fähigkeit, aufzunehmen und zu verstehen, ist eingeschränkt, das Gedächtnis schwach. Lernen und Denken sind durch Kopfschmerz, Schwindel und Müdigkeit erschwert. Die Entschlußkraft ist gelähmt; die Abwehrhaltung zur Zukunft ist das Grundproblem des »psorischen« Menschen. Er klammert sich an das Gewordene, an das Vergangene. Er ist hinter der fortschreitenden Wirklichkeit zurückgeblieben, er kommt nicht mit, er hält sich lieber an seinen Bedenken und Hemmungen fest, anstatt den Absprung in die Zukunft zu wagen. Außerdem leidet er an Erwartungsangst: er fürchtet Menschenmengen, erwartet, daß er verlacht und verspottet wird, fürchtet, sich zu blamieren, denkt, daß er versagen wird, paßt nicht in die Welt, fühlt sich verachtet. Er versteckt sich, hält sich zurück, sitzt im Hintergrund, rührt sich nicht, ist in einer Ecke in seine kindliche Gedankenwelt versponnen, grübelt und sinniert über sich und seine Welt, aber er kommt aus seinen Krankheits-, Zukunfts- und Gewissensängsten nicht heraus; Selbstvorwürfe und Selbstbemitleidung dienen noch dazu, die fehlende Entscheidung zu begünstigen: »Es hat ja doch keinen Wert.« Lieber gibt er sich seiner Traurigkeit, seinen Sorgen und seiner Schwarzseherei hin - seiner Depression.

Wenn der Mensch sich zum nächsten Schritt vorwärts nicht aufraffen kann, so geht er einen Schritt zurück: er sucht Anschluß bei seinen Schicksalsgenossen. »Unterhält sich mit Dienstboten«, steht in den alten Arzneimittellehren. Er hat ein Herz für Leidende und Unterdrückte, gerät dadurch manchmal in schlechte Gesellschaft und ist leicht zu verführen. Rutscht er noch weiter ab, so wird er diebisch (kleptoman), lügnerisch, hinterlistig, boshaft und heimtückisch. Er kämpft seinen Kampf ums Dasein aus dem Hinterhalt. Schließlich mag er aus einer hoffnungslosen Abwehrstellung heraus auch einmal zerstörungswütig werden; meist bleibt es aber bei Gedanken.

Gabe: Man kann Calcium carbonicum in hohen und tiefen Potenzen geben. Niedrige Potenzen (D6) gibt man 3mal täglich, hohe Potenzen selten, wobei man das Verhalten des Körpers abwartet. Geben Sie jedem Neugeborenen nach dem Abstillen eine Gabe Calcium carbonicum D200 *(Dorcsi).*

Calcium carbonicum ist kein Ersatz für fehlende Kalkmengen, sondern ein arzneiliches Informationsmittel für den gestörten Kalkstoffwechsel.

▶ Calcium phosphoricum (Calc. phos.)

99% des Skelett-Kalkes bestehen aus Calcium phosphoricum.

Symptome. Zum Calcium phosphoricum-Bild gehört ebenso wie zu Calcium carbonicum anfangs ein guter Appetit; entsprechend unterscheiden sich die

Bilder zunächst kaum. Später laufen die Entwicklungslinien auseinander: Ein Kind wird mager, schlank, blaß, unruhig, das andere dick, aufgeschwemmt, rot/blaß, ruhig (Calc. carb.). Das Calcium phosphoricum-Kind entwickelt sich im Körperbau vorwiegend zum Astheniker, der seine besondere Erscheinungsform der exsudativ-lymphatischen Diathese und außerdem enge Beziehungen zur neuropathischen Diathese hat (wie Calc. fluor.).

Wie beim Calc.-carb.-Kind ist auch beim Calc.-phos.-Typ das Verhältnis zur Ernährung von Anfang an gestört, aber in besonderer Form. Sei es, daß eine Mutter mit gestörtem Mineralstoffwechsel keine harmonisch zusammengesetzte Milch bringt – *Voisin* spricht vom schlechten Geschmack bei demineralisierten Stillenden –, sei es, daß der Säugling die angebotene Milch nicht recht nützen kann: Auf jeden Fall hat der nervöse Säugling oft eine so zerfahrene, ungeschickte, hastige und ungeduldige Art zu trinken, daß er einerseits vorher übertrieben hungrig erscheint, andererseits nachher den Eindruck eines ungestillten, unbefriedigten und unruhigen Daumenlutschers macht. Da diese Kinder nicht selten hinterher erbrechen (»speien«) und öfters durchfällige unverdaute Stühle haben,bei jedem kleinen Geräusch aufschrecken und im weiteren Verlauf auch noch appetitlos werden, entwickeln sie sich immer mehr zum nervösen, schlecht gedeihenden Säugling, ganz im Gegensatz zum Calcium carbonicum-Kind, das (anfangs) prächtig zunimmt.

Im Zusammenhang mit der verzögerten Zahnentwicklung treten ähnliche Symptome auf wie bei Chamomilla: Nach kolikartigen Bauchschmerzen und lauten Darmgeräuschen kommt es zu grünlich wässerigen Durchfällen und stinkendem Blähungsabgang. Später besteht oft ein Verlangen nach salzigem Fleisch, Räucherschinken, Speck, im Gegensatz zu Calcium carbonicum, das ein Verlangen nach Eiern hat. Abneigung gegen Milch ist beiden Mitteln gemeinsam. Für dieses Symptom ist Calcium phosphoricum D12, tägl. eine Tabl., das erste Mittel.

Bei den mageren Kindern erscheint der Milchschorf als mäßige trockene, abschilfernde Wangenrötung. Anstelle der Zahnpocken (Strophulus) beobachtet man Juckblattern (Prurigo), kleine juckende Knötchen an den Streckseiten der Glieder. Offensichtlich sind die Hauterscheinungen bei Calcium carbonicum mehr nässend (exsudativ), bei Calcium phosphoricum eher trokken; diese Beobachtungen wurden schon früher in der Kinderklinik gemacht *(Birk)*.

Die Atemwegsanfälligkeit, besonders bei Kälte, Nässe, Luftzug und Wetterwechsel, zeigt sich in chronischem Schnupfen – Fließschnupfen in der Kühle, Stockschnupfen in der Wärme. Die langdauernde Schleimhautentzündung führt zu kleinen harten Lymphknoten am Hals und zu Wucherungen des Lymphgewebes; die Mandeln sind vergrößert. Ins Bild gehören Nasenbluten, häufige Heiserkeit und ein Kitzelhusten, der sich im Liegen bessert (wie Euphr.). Die vorhandene Schweißneigung erhöht die Anfälligkeit für Erkältungen. Es besteht auch eine Beziehung zur Tuberkulose (Kehlkopf, Hilusdrüsen-Tuberkulose).

Skelettentwicklung. Hier ist eine Gleichgewichtsstörung (Disharmonie) zu bemerken: Während einzelne Teile wuchern, bilden sich andere ungenügend zurück; die Neubildungen scheinen außerdem nicht vollwertig zu sein, es kommt zu Verkalkungsstörungen in den Wachstumszonen; es bilden sich lange, dünne, schwache Knochen. Auch die Muskeln sind meist schlecht entwickelt, weich, schlaff, von geringer Spannung. Die Gelenkbänder sind nachgiebig, die Gelenke entsprechend überstreckbar, so daß das Gleichgewicht zwischen Festigkeit und Beweglichkeit gestört ist (vgl. Calc. fluor). Das ungleichmäßige Knochenwachstum führt zu Rachitis (langes Offenbleiben der Fontanellen) und zur *Scheuermann*schen Erkrankung sowie zu Wirbelsäulenverbiegungen (Kyphose, Skoliose) und zu flachem Brustkorb, die sich verschlechternd auf die Atemtätigkeit auswirken (Verschlimmerung der Atemwegserkrankungen).

Trotz seiner Muskel- und Gelenkschwäche, die zu entsprechenden Schmerzen führen, ist das Kind sehr unruhig und beinahe dauernd in Bewegung; es kann keinen Augenblick ruhig sitzen und will von einem Platz zum andern. Bei dieser Ruhelosigkeit ist das Kind schnell erschöpft und muß sich immer wieder hinlegen. Anfallsweise kann sich die Spannung in den Muskeln bis zu Krämpfen steigern. Calcium phosphoricum ist eines der wichtigsten Mittel für Krämpfe im Kindesalter. Beim älteren Menschen führt die Muskel- und Gelenksschwäche, vor allem im Zusammenwirken mit Nässe und Kälte, zu bleibenden Gelenkveränderungen (kleine Handgelenke, Waschfrauenfinger). Normalerweise erholt sich die Natur von jeder Belastung, es gibt keine »technische« Abnützung des Lebendigen; wenn man aber durch dauernde Überbelastung die Heilung verhindert, sind die Schäden schließlich nicht mehr umkehrbar. Das homöopathische Mittel ersetzt das richtige Verhalten nicht.

Belastbarkeit. Der körperlichen Erschöpfbarkeit entspricht bei Calcium phosphoricum eine beinahe noch größere geistige Ermüdung. Diese Kinder sind zwar geistig beweglich und gut begabt, sie haben anfangs auch eine gesteigerte Auffassung, aber sie sind schnell erschöpft, und deshalb bleiben ihre Leistungen hinter den Erwartungen zurück. Sie werden müde, stützen den Kopf in die Hände, können ihn nicht mehr tragen, bekommen Schmerzen und Schwindel. Sie werden unaufmerksam und zerstreut, jede geistige Anstrengung verschlimmert ihre Beschwerden, sie können nicht mehr genau denken und vergessen, was sie vorhatten. Ihr unruhiger Schlaf mit Dunkelangst, Aufschreien und Aufschrecken, Kopfrollen und Kissenbohren dient nicht dazu, ihnen am anderen Morgen das Aufstehen zu erleichtern, sie sind schon morgens energielos, leistungsunfähig, schlecht gelaunt und reizbar. Ihre Ängstlichkeit und Schreckhaftigkeit bringt sie vollends durcheinander.

Gabe: Manchen dieser Kinder kann man mit Calcium phosphoricum D6–D12 gut helfen: D6, 3mal 1 Tabl., D12, 1 Tabl. tgl.

Die Anwendung anderer Potenzen und die Verordnung von ähnlichen Mitteln (Phos., Calc. phos., Acid. phos., Silicea und Natr. mur.) sollte dem Arzt überlassen werden.

▶ Calcium fluoratum (Calc. fluor.)

Nach *Mezger* besteht beim Calcium fluoratum-Typ »beschwingte Unternehmungslust und lebhafter innerer Auftrieb. Steigerung der Konzentration und vermehrte geistige Aufnahmefähigkeit; kann den ganzen Tag intensiv geistig arbeiten, bis um Mitternacht, ohne zu ermüden«. Diesem strahlenden Bild am Morgen werden im Laufe des Tages (oder der Tage) die Schatten folgen und immer länger werden. Die Sinnesempfindlichkeit für Licht, Geräusch und Geruch ist gesteigert - die Grenze wird überschritten: Dann bleibt das Bild des Gelesenen noch eine Weile vor den Augen stehen; die Lautsprechergeräusche von nebenan werden unerträglich und machen Kopfschmerzen; die Hautempfindlichkeit wird so fein, daß die Teile schmerzen, auf denen man liegt. Danach geht die Übersteigerung in Abstumpfung über, besonders der Geschmack nimmt ab: Alles schmeckt gleich fad.

Der Sinnesempfindlichkeit entsprechend kann diesem Menschen die Arbeit nicht schnell genug gehen, er ist unruhig, ungeduldig, hastig. Im Hintergrund wird die beginnende Abspannung und nachlassende Konzentrationsfähigkeit bewußt. Zwar kann er anfangs noch über die Schlafstörung ebenso hinweggehen wie über die aufkommende Angst vor den Tagesaufgaben, aber die Euphorie nimmt ab und die krampfhafte Anspannung zu. Am Schluß liest er einen Satz mehrmals und versteht ihn immer noch nicht. Eine ängstlich-depressive Stimmung erfaßt den Menschen und nimmt ihm jede Unternehmungs- und Arbeitslust; übrig bleibt die Angst um sein »Einkommen«.

Abläufe im vegetativen System. Sie entsprechen den Vorgängen im bewußten Bereich. Im Vordergrund steht die Steigerung des Appetits und des Hungergefühls. Der Mensch könnte immerfort essen; der Hungerschmerz zwei Stunden nach der Mahlzeit erinnert daran, daß das nächste Essen fällig ist; ein leerer Magen verschlimmert das Gesamtbefinden. Essen bessert nicht nur die Magenschmerzen, sondern auch Kopfschmerzen und Reizbarkeit und erhöht die geistige und körperliche Spannkraft. Muß er auf das Essen warten, so wird er zornig, und wenn es endlich - für ihn zu spät - kommt, so verwandelt sich sein Hunger in Ekel: Jetzt kann und will er nicht mehr essen. Mit der zunehmenden Störung des Gleichgewichtes nimmt der Appetit ab. Einerseits besteht Verlangen nach Salzigem und Süßem, andererseits Abneigung gegen Fleisch, Eier und Fett. Nach Fett wird der Stuhl durchfällig und fettglänzend, ein Hinweis darauf, daß die Verdauung ungenügend wird durch Senkung der

Eingeweide und Bauchspeicheldrüsenstörung. Alkohol macht Übelkeit und Kopfweh. Blähungen bessern sich, wenn Winde abgehen. Die Abmagerung trotz reichlichem Essen weist auf eine gesteigerte Schilddrüsentätigkeit hin (wie bei Jod, Natr. mur., Phos.).

Das Bindegewebe. Wenn wir diesen vordergründigen Athleten genau ansehen, so finden wir eine chronische Bindegewebsschwäche, wie sie bei Silicea offenkundig ist. Die Elastizität fehlt. Zur Eingeweidesenkung kommen Krampfadern an den Beinen mit ihren Folgen. Die Gelenke sind überstreckbar und erholen sich von Überlastungen schlecht (Arthrosis deformans, entzündliche rheumatische Veränderungen). Ein hartnäckiger Hexenschuß wird schlimmer bei beginnender, besser bei fortgesetzter Bewegung (wie Rhus tox.). Der Zahnschmelz, der durch Fluor eine Härtung erfährt, wird rissig.

Das weiche Bindegewebe (Lymphknoten, Mandeln, Lymphgewebe) ist anfällig für Erreger, wie es der lymphatischen Diathese entspricht. Es kommt zu chronischen Katarrhen der oberen Luftwege und Nebenhöhlen mit Krampfhusten, Heiserkeit und wundem, rauhem Gefühl. Die Mandeln sind chronisch entzündet.

Gabe: Bei Fisteln und alten Narben ist Calcium fluoratum neben Silicea das wichtigste Mittel. Man gibt Calcium fluoratum D12, 1 Tabl.

Die zur lympathischen Diathese gehörigen Hauterscheinungen sind empfindlich gegen Sonnenbestrahlung (wie Acid. fluor.). Sie finden sich bevorzugt in der Nähe der Körperöffnungen (Augen, Nase, Mund, Ohren, After). Zusammen mit den Krampfadern an den Beinen treten gern Hautausschläge auf, die leicht von Pilzen besiedelt werden und dann schnell auf den ganzen Körper übergreifen können. Hier ist Calcium fluoratum D12, 1 Tabl. tgl., ein gutes Mittel, zusammen mit Verbänden, die zugleich mechanisch unterstützen und vor Licht und mechanischen Einwirkungen schützen, bis die Haut sich wieder erholt hat.

Geistige Verarbeitung. Wie verarbeitet dieser Mensch seine Erfahrung und Gegebenheiten? Die geistige Frische fällt in die Zeit der übermäßigen Unternehmungslust, sie dient also dazu, das Maß noch mehr zu stören. Die Verminderung der Konzentration und der Wahrnehmungsfähigkeit in der depressiven Phase läßt eine wirklichkeitsgemäße Aufnahme der Gegebenheiten nicht zu. Wenn man einen Satz mehrfach liest, ohne ihn zu verstehen, ist man zum Nachdenken nicht mehr fähig. Wenn die geistige Anstrengung die Kopfschmerzen bis zum Gefühl des Zerspringens steigert, wenn der Schlaf mit unfruchtbarem Gedankenzudrang gestört ist, wenn die vegetativen Funktionen aus dem Gleichgewicht geraten sind (vegetative Dystonie), führt das eher zur Erstarrung als zum nächsten Schritt.

Immer, wenn der Mensch versäumt, seine Kräfte auf ein gemeinsames Ziel zu einigen, werden die verdrängten Kräfte sich regen, sobald die vorherrschenden erschöpft sind. In dieser Phase wachsen die Ängste, die innere Unruhe und Gereiztheit, die dem Menschen die Fähigkeit zu jeder fruchtbaren Tätigkeit nehmen und zum »Verlust der Initiative« führen.

Probleme der Aufgabenerfüllung

Da die »Krankheiten nichts anderes sind als abgeänderte Gefühle und Tätigkeiten« *(Hahnemann)* müssen wir sie in diesen Erscheinungsbereichen beobachten.

Ich unterscheide zwischen dem »starken« überlasteten Menschen, der sich voll Willens an die Arbeit gemacht hat und befürchtet, daß auch noch größere Anstrengungen ihn nicht an das vorgesehene Ziel bringen werden, und dem geschwächten Menschen, der sein Ungenügen schon mehr oder weniger einsieht und zur Melancholie neigt.

Man kann diese Probleme durch Tranquilizer, Schlafmittel oder anregende Mittel beseitigen; diejenigen, die darin keine Lösung sehen, müssen zwischen Pflicht und Verantwortung unterscheiden *(Büntig)*. Pflicht ist »Dienst nach Vorschrift«, nach der Auffassung jener Pflichtmenschen, die alles genau, recht und vollkommen machen wollen, wie das Gesetz es befiehlt. Diese Menschen lassen sich unerträgliche Lasten auflegen. Das muß sich ändern: Laßt euch an dem genügen, was heute getan werden muß; das Gestern geht euch nichts mehr, das Morgen noch nicht an!

Der andere Rat, in Übereinstimmung mit den entstehenden Selbsthilfegruppen, lautet: Erlöst euch von den Vorgesetzten und Untergebenen, schafft das Vorurteil von »Oben« und »Unten«, von Herr und Knecht ab. Das ist ein geistiges Problem *(Laub)*. Man kann nicht zugleich und genau tun, was ein äußeres Gesetz vorschreibt und was dem eigenen Gewissen notwendig (angemessen, eigentümlich) ist. Dem, der ein gegenwärtiges Gewissen hat, rate ich, zuerst seinem Gewissen zu folgen. Man muß sein Gewissen allerdings auf sich selbst beschränken, ich muß tun, was ich verantworten kann, aber ich darf meine Einstellung nicht meinem Nächsten auferlegen, muß diesem also sein Verhalten freistellen (Gleichordnung). Diese Art der Aufgaben-Erfüllung ist nicht leicht, sie fordert die ganze Kraft des Individuums, entwikkelt aber sein Vermögen am besten. Dann ergibt sich das Gleichgewicht von Arbeit und Ruhe, von Leistung und Erholung wieder von selbst.

> Die echte Aufgabe überfordert den Menschen nicht; ist er überlastet, so muß er den Gründen nachgehen, bis er das neue Gleichgewicht zwischen Pflicht und Verantwortung gefunden hat *(vgl. S. 24)*.

Der überlastete Mensch

Arzneibilder

▶ Nux vomica (Nux-v., Brechnuß)

Mangelhafte Bereitstellung. Der Mensch sollte mit seiner Aufgabe übereinstimmen; er sieht sich jedoch mehr zwangsweise für die technische Bewältigung von vorbestimmten Planzielen bereitgestellt. Somit fühlt er sich einerseits überfordert, andrerseits unerfüllt (frustriert). *Hahnemann* schreibt, »daß diejenigen Personen sie öfter bedürfen, welche sehr sorgfältigen, eifrigen, feurigen und hitzigen Temperaments sind.« Für die technische Problemlösung könnte man solche Leute brauchen - wenn die andern Lebenskräfte dieser einseitigen Einstellung nicht widersprechen würden. Dieser Mensch, der überempfindlich und gespannt, ungeduldig und unruhig auf den Arbeitsbeginn wartet, fühlt sich gar nicht wohl. Im Schlaf zuckt er, schrickt auf und erwacht schon um drei Uhr, liegt mehrere Stunden mit »Zudrang unabweislicher Ideen« wach, gerät erst am Morgen in einen Schlaf voll schwerer Träume, von welchen er müder aufsteht, als er sich hingelegt hat *(Hahnemann).* Der Kopf schmerzt, ihm ist schwindelig, übel bis zum Erbrechen. Der Gedanke an die bevorstehende Tagesarbeit verstärkt seinen Ekel. Glieder und Kreuz sind steif und schmerzen; nach anfänglicher Verschlimmerung bessern sich die Schmerzen mit der Bewegung (wie Rhus.-t. und Sulf.). Erst die gewohnte Zigarette und eine Tasse Kaffee stimmen ihn freundlicher.

Einseitige Tätigkeit. Dieses Leben ist gewaltsam und hastig, die Zeit vergeht zu langsam, d.h. die innere Uhr geht vor (Ambr., Arg.-n., Merc.); die Aufmerksamkeit ist auf die Steigerung der Geschwindigkeit und die sofortige Wirkung gerichtet. Der Mensch ist überempfindlich gegen Reize, besonders gegen Licht, Kälte und Geräusche wie Lärm, Tritte, Musik. Hochmut, Ehrgeiz und Wille peitschen ihn auf. Die Muskeln spannen sich an. Das unwillkürliche System (Vegetativum) ist überreizt, das Herz klopft heftig, der Blutdruck steigt. Aufkommende Widerstände werden mit Ärger, Zorn und Wut beseitigt, schließlich treiben Reizmittel wie Nikotin oder Kaffee die Spannung auf die Spitze. An der Grenze wird jeder Widerspruch unerträglich. Endet die Kraft, so schwindet die Hemmung: Mit Unverschämtheit, List und Tücke, Lug, Trug und Bosheit strebt man zum Ziel. Damit ist der Höhepunkt der Anstrengung überschritten: Der Mensch wird langsam, ungeschickt, er verspricht und verschreibt sich; die Zahl der Fehler wächst, Angst und Mutlosigkeit ergreifen den Menschen, die Reizmittel helfen nicht mehr, sie verschlimmern. Manchmal geht dem Zusammenbruch des Willens eine kurze Zeit des Wohlbefindens voraus. (Psor)

Mißverhältnis zu den Gegenkräften. In den Gegenkräften sieht der Mensch hauptsächlich das »Nein«. Diese feindselige Einstellung steigert den Gegensatz: Je mehr er sich anstrengt, seinen Willen durchzusetzen, desto größer wird der Widerstand. Der einseitig festgelegte Mensch merkt z.B. nicht, daß es ihm zu kalt wird, so bleibt die entsprechende Anpassung aus. Er friert unmerklich, und dann wird er »überempfindlich« gegen Kälte. Die übertriebene Aufmerksamkeit auf seine Ziele bedingt eine ungenügende Aufmerksamkeit auf die Bedürfnisse der andern Lebenskräfte. Anstatt rechtzeitig Lärm, Kälte, Zugluft, Erschütterungen und geschäftliche Schwierigkeiten wahrzunehmen und in seinem Verhalten zu berücksichtigen, anstatt sich mit seiner menschlichen Umgebung abzustimmen, den körperlichen Bedürfnissen und Abneigungen zu entsprechen, auf Schmerzmitteilungen zu hören, wird der Mensch in seinem einseitigen Willen taub. Das führt zu Muskelkrampf, z.B. zu Hexenschuß, Kieferkrampf, epileptischem Anfall. Der Schmerz wird übermächtig. Der Hunger verbindet sich mit der Übelkeit, Essen verschlimmert; der Magen ist aufgetrieben, Versuche aufzustoßen, mißlingen, selbst der in den Rachen gesteckte Finger bringt nur ein krampfhaftes Würgen. Der Geist verwirrt sich durch tausend Kleinigkeiten; Schwäche, Hoffnungslosigkeit und Depression breiten sich aus, bis der Wille zusammenbricht. Würde der Wille freiwillig loslassen, was er so krampfhaft festhält, würde er den Widerspruch der andern Mächte anhören, ansehen und verstehen, was er so blind zurückstößt, so könnte sich das Verhältnis zur Wirklichkeit entspannen. »Wer seine Schwierigkeiten vorher bedenkt, hat nachher keine« *(Laotse).* Wer sie nicht gleich beachtet, dem begegnen sie immer wieder, bis er sie löst oder an ihnen erkrankt.

Folgen des einseitigen Verhaltens. Das falsche Verhalten führt zu Schwindel, Kreuzschmerzen, Kopfschmerzen, Migräne, Schlafstörungen, Magenkatarrh, Verstopfung, Erkältungskrankheit. Ich habe schon früher erwähnt, daß man auf diese Krankheitsnamen hin homöopathisch nicht oder nur ungenau und versuchsweise behandeln kann. Paßt aber das Nux vomica-Bild zum *ganzen* kranken Menschen, dann hilft eine Tabl. Nux vomica D30 häufig bei den nachfolgenden Zeichen:

Aufwachen um drei Uhr mit Schwindel wie betrunken; Kreuzschmerzen gegen Morgen im Bett, so daß der Mensch sich zum Umdrehen aufsetzen muß; ungewöhnliches Wohlbefinden am Tag vor einer beginnenden Krankheit oder bei Empfindung einer beginnenden Grippe; Magenschmerzen einige Zeit nach dem Essen mit krampfhafter Stuhlverstopfung; Morgenkopfschmerz mit Übelkeit, Erbrechen und Schwindel; Folge einer durchwachten Nacht; Arznei- und Reizmittelmißbrauch; Folgen von Arzneimittelunverträglichkeit.

Beschränkte Wahrnehmung der kranken Wirklichkeit. Wenn der Mensch seinen Willen durchsetzt, wird er für die Wirklichkeit blind, der Konflikt wird nicht ausgetragen, sondern verdrängt. Ist das Bewußtsein nicht gerade durch Schmerzen »ohnmächtig«, so wird es durch Kopfschmerzen, Schwindel, Müdigkeit und Übelkeit eingenommen und ausgefüllt. Der Kopfschmerz bessert sich durch Einbinden (Wärme, Druck). Der Mensch will nichts sehen und hören. Sein schlechter Zustand ist ein unsinniger Vorwand, sich kein zutreffendes Bild der wirklichen Lage zu machen. Hier kann Nux vomica die starre Einstellung lösen.

Das kranke Krankheitsbild. Sind schon die einzelnen Nachrichten unvollständig und ungenau, so kann man vom menschlichen Bewußtsein kein wirklichkeitsgemäßes Bild der Lage erwarten. Da der Mensch gern von seinem eigenen Anteil an der Wirklichkeit absieht, wenigstens soweit es um »Schulden« geht, so findet er - exakt naturwissenschaftlich begründet - die Ursache außen: bei Umweltschmutz, Erregern, Giften und Schädlingen; bei sozialen Mißständen, schlechten Erbanlagen, falscher Erziehung, kulturbedingten Affektverdrängungen und überhaupt bei der Mißbildung der Welt. Aber selbst wenn er bewußt dem eigenen Mangel nachgehen wollte, so würde die krampfhafte Suche das Finden verhindern. Das Denken verirrt sich in tausend Kleinigkeiten oder bleibt an *einem* Punkt hängen, es kommt also nicht zum Ziel. Regen sich nach dem »Nervenzusammenbruch« die Kräfte wieder, so wendet man sich lieber »neuen Horizonten« zu, den guten Einfällen, der lebhaften Phantasie, und freut sich über seine geistige Verwegenheit. Die alten Enttäuschungen werden durch neue Täuschungen ersetzt, und für das, was man nicht kann, besorgt man sich Entschuldigungen.

Unbefriedigende Abstimmung mit der Natur. Der gesunde Schlaf-Wach-Rhythmus beruht auf der natürlichen Aufeinanderfolge von Anstrengung und Ruhe. Übertreibt man die Willensanstrengung, so werden Schlaf und alle unwillkürlichen Funktionen gestört, z.B. auch die Wärmeregulation. Am Abend muß der Wille zurücktreten. Die Welt der Seele (Gefühle, Affekte, Emotionen, Stimmungen) ist ein nächtliches Reich, das nicht dem Willen untersteht. Selbst wenn das Tagesbewußtsein sich ein wirklichkeitsgemäßes Bild von den krankhaften Störungen machen würde, könnten die notwendigen Heilmaßnahmen nicht vom Willen verwirklicht werden. Das vergessen viele Soziologen, Politologen, Aufklärer und Weltverbesserer. Zwischen Wollen und Tun besteht - außer im Technischen - kein Kausalzusammenhang. »Grundsätzlich kann unser Ich mit seinen Absichten und seinem Willen Abläufe nicht in Gang setzen, nicht regeln oder verhindern, die der Sphäre des Es angehören, dem unwillkürlichen, eigengesetzlichen, vegetativen Lebensbereich. Das muß das Ich verstehen und anerkennen; tut es das nicht, so kommt es lediglich zu nutzlosen und oft schädlichen Vergewaltigungsversuchen« *(Heyer).* Die Vorherrschaft des technischen Willens erschwert oder macht die Zusammenarbeit mit der Natur unmöglich, und zwar umso mehr, je gewalttätiger der Wille ist. Die Natur begegnet dem gewalttätigen Willen mit unnachgiebiger Weichheit (»Wirkungsumkehr«). Erwartungsspannung und Wille verhindern geradezu, was sie erzwingen wollen: Das krampfhafte Schlafenwollen verhindert den Schlaf. Das Mißverhältnis von Sex und Liebe mit dem Vorherrschen des Künstlichen, Brutalen und Gewaltsamen verursacht vielerlei Symptome, z. B. die Neigung zur Selbstbefriedigung. Die Krampfwehen bei der Geburt gehören hierher: Je krampfhafter die Frau drückt, desto schwieriger wird es. Ich habe oft diese sinnlose Strapaze dadurch beendet, daß ich ankündigte, die Geburt würde noch viele Stunden dauern; meist kam das Kind dann schnell.

Eine Nux vomica D30-Tablette hilft bei Krampfeinstellung, auch bei krampfhaften Regelschmerzen, krampfhafter Stuhlverstopfung und bei Menschen, die sich in Haß, Neid, Eifersucht und Ärger hineinsteigern. Nux vomica unterbricht den Teufelskreis und bringt Verdrängungen wieder zutage (wie Ignatia).

Das Mißverhältnis zum Sinn. Der Mensch, der seine Gefühle nicht auf die seelische Mitte einigen konnte, der also die Liebe nicht gefunden hat, die die höchste Arznei ist *(Paracelsus),* tritt nun in die letzte Etappe seines Lebenskreises ein. In dieser Phase muß die Einstellung (Entscheidung, Bestimmung) für den nächsten Schritt festgelegt werden. Daß es um letzte Sinn- und Weg-Entscheidungen geht, zeigt sich an einigen eigentümlichen Symptomen, die man nicht einfach deshalb übersehen sollte, weil sie nicht zeitgemäß sind. Da treten religiöse Gemütserregungen auf, der Mensch wird von Gewissensnot geplagt, von der Angst um sein Heil und seine Zukunft, er hat seine »moralische Stunde«. Die Frage nach dem Sinn der Welt, des Lebens und der eigenen Anstrengungen taucht auf. Diesem Menschen fehlt die letzte Beziehung zu seinem Selbst, er zeigt einen Mangel an Selbst-Vertrauen. Das Selbst ist die letzte subjektive Instanz, die Ichmitte, gleichbedeutend mit Sinn (Tao, Logos, Wegweisung). Wer den lebendigen Entscheidungen ausweicht und sie durch technische Riten zu ersetzen versucht - vom Orakel zu Delphi bis zum Abzählen an den Knöpfen - der scheut nur die letzte und härteste Auseinandersetzung mit der Wirklichkeit: die Entscheidung über das, was ich jetzt tun muß.

Das ist nur zu verständlich: Wer die Gegenkräfte verdrängt, die Krankheitssymptome nicht wirklichkeitsgemäß wahrnimmt, kein angemessenes Bild seiner Krankheit hat; wer sich mit seinen Gefühlen nicht so lange auseinandersetzt, bis sie sich geeinigt haben, der wird nicht ausgerechnet in der letzten und schwersten Etappe sich mit dem Sinn einigen können. Ich halte die Entscheidungsfähigkeit für die zentrale menschliche Potenz und für die eigentliche lebendige Aufgabe. Man tut gut daran, sich von der Sprache darüber unterrichten zu lassen, daß ent-scheiden und ent-schließen das Loslassen des bisherigen Standpunktes bedeutet *(s. S. 139).* Ohne diese Neueinstellung geht der alte Mensch in die alte Runde zu den alten Mißerfolgen. Er nimmt wie gewohnt seine Schlaf-, Betäubungs- und Beruhigungsmittel, tritt am anderen Morgen in einer widersprüchlichen Verfassung gereizt zur nächsten Schicht an, hetzt durch den Tag, von Reizmitteln unterstützt, mit der vorgetäuschten Hoffnung, am Ende doch zu »siegen«.

Wenn Sie dieses Ende an den Anfang *(s.S. 59)* knüpfen *(Alkmaion),* so haben Sie nicht nur ein lebendiges Nux-vomica-Bild, bei dem die Einzelsymptome an ihrem natürlichen Platz im Zusammenhang des Ganzen auftauchen, Sie haben auch ein Grundmodell des Lebenskreises. Nach dieser Ordnung können Sie die Krankheitssymptome im Zusammenhang verstehen.

Praktisches Beispiel: Kreuzschmerzen

Ein Rentner, 66 Jahre alt, klein, hager, faltige Gesichtshaut, dunkle Haar- und Augenfarbe, klagt über Kreuzschmerzen, deretwegen er schon öfters (seit Jahrzehnten) mit Bädern, Badekuren, Fangopackungen, Massagen und Rheumamitteln behandelt wurde. Er war früher starker Raucher, bis er 1953 wegen wiederkehrender Magengeschwüre operiert werden mußte (Magenresektion). Die Schmerzen sind nachts und in der Ruhe schlimmer, durch Bewegung und Wärme besser; ich gebe Rhus toxicodendron D30. Er kommt erst einen Monat später wieder; es habe nichts geholfen, aber das sei bei dem alten Leiden auch nicht zu erwarten; dabei ergibt sich folgendes Bild: Der Schlaf ist sehr unruhig. In wilden Träumen erlebt er immer wieder die früheren Schwierigkeiten am Arbeitsplatz. Kurzer Schlaf tut gut, auch tags. Obwohl er gut heizt, ist ihm meist zu kalt. Er ist sehr zugempfindlich. Rückenschmerzen hat er schon sehr lange. Sie wandern und sind bald oben im Nakken und im Kopf, bald unten im Kreuz. Vor der Magenoperation seien regelmäßig monatlich für zwei bis drei Tage Bauchschmerzen mit Durchfall aufgetreten, die vorn begannen und sich gürtelförmig bis zum Rücken ausbreiteten. Stuhlgang bessert die Kreuzschmerzen. Seit der Operation haben die gürtelförmigen Schmerzen aufgehört; die Rückenschmerzen kommen wie früher, besonders heftig alle vier Wochen. Beim Aufstehen muß er zuerst aufsitzen und dabei die Beine aus dem Bett hängen; Aufrichten stellt ihm die Luft ab; anfängliche Bewegung verschlimmert, fortgesetzte Bewegung bessert (Rhus-t., Sulf.). Der Mann sagt auf Befragen, daß er peinlich genau ist, sich leicht ärgert, besonders Widerspruch reize ihn zu Zornausbruch. Ich gab ihm Nux vomica D30 Tabl.

Nach zwei Monaten berichtet der Mann, er habe gleich nach der ersten Tablette ruhig geschlafen und sei schmerzfrei aufgewacht. Seither gehe es ihm gut; er brauche lediglich gelegentlich eine Tabl. Nux vomica D30 »für den Schlaf«.

▶ Arnica montana (Arn., Bergwohlverleih, Fallkraut)

Arnica ist das erste Mittel bei körperlicher Verletzung (Calend., Con., Hyper., Rhus-t.). Der alte Name »Fallkraut« zeigt an, daß Arnica in der Volksheilkunde bekannt war, ehe *Hahnemann* es für die Homöopathie entdeckte. Der Mensch wird nicht nur verletzt, wenn man eine äußere Wunde sieht; immer wenn der natürliche Zusammenhang des Lebendigen irgendwo durch äußere Gewalt unterbrochen wird, ist der Mensch verletzt, verwundet, beschädigt, gekränkt, beleidigt. Zu Verletzungen zählen die Geburtsverletzungen für Mutter und Kind, Schürfungen, Prellungen, Verstauchungen, Quetschungen, Wunden, Blutergüsse, Knochenbrüche (Symph.), die Folgen von Untersuchungen und operativen Eingriffen, Zahnbehandlung und Zahnentfernung, Schleimhautverletzungen bei Nieren- und Gallensteinabgängen, Arbeitsschäden durch Erschütterung, z.B. Preßlufthämmer, Stöße, Schläge, Lärm, Hautschäden durch mechanische und chemische Einwirkungen (Verätzung, Verbrennung, Stiche, Ledum D6) mit nachfolgenden Entzündungen (Furunkulose und Blutvergiftungen, Lymphangitis), Krampfaderbildung, Venenentzündung, Embolie, einmalige oder dauernde Muskelüberanstrengung (Muskelkater, Sportherz), Blutgefäßschäden und Bluthochdruck durch Überanstrengung; innere Verletzungen durch Gefäßzerreißungen (Herz-und Hirnschlag).

Seit ich Arnica bei Verletzungen gebe, heilen sie schneller, angenehmer und zuverlässiger; Arnica erspart weitgehend die üblichen Schmerztabletten.

Arnica ist besonders wirksam beim starken, harten, cholerischen, muskelkräftigen Menschen mit rotblauem Gesicht, der glaubt, man könne die Probleme mit Kraft lösen: schnell, heftig, herrisch, befehlend, hochmütig, anmaßend. Er ist an Schlagabtausch gewöhnt, hat viele Schläge ausgeteilt und eingesteckt, und entsprechend viele Verletzungen erlitten (physisches und psychisches Trauma). Er denkt, er müsse hart sein gegen sich und andere, unempfindlich gegen Schläge und schwerhörig gegen Widersprüche. Er hat nicht nur lange und harte Anstrengungen hinter und vor sich, sondern ist gewöhnt, seine Grenze zu überschreiten, ist kämpferisch, streitsüchtig, sein Körper duldet oder unterstützt diese Einstellung, bis die Schläge zusammen ausreichen: An der Grenze der Kraft verwandelt sich der harte, unempfindliche, starke in einen überempfindlichen und schwachen Menschen (paradoxe Phase). Der bisher Starke kann nicht mehr lange arbeiten, er fühlt sich besonders gegen Abend wund, lahm und zerschlagen mit Schmerz an kleinen Stellen (wie Kal. bichrom.), kann wegen Kreuzschmerz nicht mehr aufrecht gehen, wird ungeschickt, verunglückt leichter, wird mißtrauisch, fürchtet von Entgegenkommenden gestoßen oder angeschlagen zu werden; leidet unter körperlicher und seelischer Überempfindlichkeit, bald gleichzeitig, bald abwechselnd. Er wird empfindlich gegen Geräusch, Berührung, Erschütterung, vor allem gegen Schmerz. Der Kopf schmerzt, Schwindel und Benommenheit folgen jeder Aufregung. Er ist leicht beleidigt, findet keine Ruhe; das Bett ist zu hart, die Muskeln schmerzen; der Blutdruck steigt gefährlich an; nichts paßt. Alpträume plagen ihn, er seufzt im Schlaf, Herzangst schreckt ihn auf, als höre das Herz auf zu schlagen (Furcht vor plötzlichem Tod). Der Kranke denkt, er sei unheilbar (Acon., Arg.-n., Cact., Calc.), hält sich für völlig unfähig, das Notwendige zu tun. Periodisch täuschen unberechenbare Zornausbrüche den alten Kampfgeist vor. Im übrigen wartet er angstvoll oder gleichgültig zerschlagen auf das Ende. In der paradoxen Phase wäre noch eine Umstellung möglich, aber meist sieht der Geschwächte weg, gebraucht keine Arznei, zieht sich aus seiner Umgebung zurück, denkt nicht mehr zu Ende, das Bewußtsein entfernt sich immer mehr von der Wirklichkeit und versinkt in Träume, Phantasien und (milde) Delirien. Glaubt, die unverzeihliche Sünde begangen zu haben, hält den Tod für unvermeidlich, wird stumpfsinnig und läßt sich aus seinem Stupor nur noch vorübergehend aufwecken.

Gabe: Bei jeder Verletzung nehmen Sie Arnica D2, 3–5mal 1 Tabl., bei Spätschäden Arnica D6.

▶ Bryonia alba (Bry., Zaunrübe)

Der Mensch, zu dem Bryonia paßt, ist kraftvoll, hat Appetit und ist nicht leicht aus der Fassung zu bringen. Die Natur hat hier lange Geduld, sie erträgt den menschlichen Willen und seine Übertreibungen, bis das Maß voll ist. Dann setzen Notordnungen ein, die den Willen wörtlich »still-legen«; das ist die Grundidee der Bryonia-Krankheit, und es ist nicht sinnvoll, mit chemischer oder physikalischer Gewalt diese regulatorische Notordnung zu durchbrechen.

Im Mittelpunkt der Krankheit stehen die stechenden Schmerzen in den Gelenken, Muskeln und Sehnen. Die Gelenke können rot, geschwollen, heiß und schmerzhaft sein, bei jeder Bewegung stechend; die Muskelschmerzen, wie wund und zerschlagen, können sich über den ganzen Körper ausbreiten. Hervorzuheben ist der Hexenschuß, der in Ruhe und beim Draufliegen besser, bei jeder Bewegung schlechter wird. Druck bessert, Wärme verschlechtert.

Anmerken möchte ich, daß – wie bei *allen* Arzneibildern – der Mensch kein »ausgeklügelt Buch« ist.

Selbstverständlich gibt es Notfunktionen, die durch entgegengesetzte Verhaltensweisen erleichtert werden, also kann für Bryonia auch einmal Bewegung und Wärme bessern und Druck verschlechtern. Aber im Grundsatz hat *Nash* recht: »Es ist unwichtig, wie die Krankheit heißt, wenn der Kranke sich besser fühlt wenn er liegt, wenn die geringste Bewegung – schon das Öffnen der Augen – seine Beschwerden steigert, und zwar umso mehr, je länger er sich bewegt, dann ist Bryonia das erste Mittel.«

Die andern Störungen wie Kopfschmerzen, Schwindel, Atemwegs- und Magen-Darm-Erscheinungen folgen im Grund dem gleichen Gesetz: Bewegung verschlimmert. Die Kopfschmerzen, meist rechtsseitig, verschlimmern sich durch die geringste Bewegung und werden durch Einbinden und kühle Umschläge gebessert. An den Schleimhäuten fällt die Trockenheit auf. Die Lippen sind ausgedörrt, trocken und rissig, die Zunge ist weiß belegt (Puls., Ant.-c.), es besteht großer Durst nach kaltem Wasser, bitterer Mundgeschmack, Übelkeit mit Schwindel und Erbrechen, besonders bei dem Versuch aufzustehen und ein Gefühl, als ob ein Stein im Magen liege. Der rechte Oberarm ist empfindlich, nach Ärger und Aufregung folgt Gelbsucht. Meist leidet der Kranke an Verstopfung und hat trockene harte Stühle. Es gibt aber auch Durchfälle; diese kommen nach Diätfehlern und Überhitzung im Sommer vor - schlimmer am Morgen und nach Bewegung. Bei Atemwegserkrankungen ist ein trockener, harter, krampfhafter Reizhusten vorhanden; der Kranke hält sich die Brust, um die stechenden Schmerzen zu lindern, die bis in den Kopf gehen. Für Lungenentzündungen rechts, die dieses Krankheitszeichen haben, ist Bryonia das erste Mittel, auch entsprechende Grippe-Formen sprechen gut auf Bryonia (oder Phos.) an. Immer ist die Besserung durch Ruhe und die Verschlimmerung durch Bewegung das erste Symptom, das auf Bryonia hinweist.

Auch die Geistes- und Gemütsverfassung des Bryonia-Kranken fügt sich in die Grundidee der Ruhigstellung ein. Er hat das Bedürfnis nach Ruhe und Stilliegen, er will niemand sehen und hören, die Anwesenheit Fremder stört ihn. Er schläft im Fieber ein, im Liegen wird sein Husten besser. Wenn man ihn von außen antreibt, berührt, anspricht, ermahnt oder tadelt, kommt es zu heftigen Zorn- und Wutausbrüchen, die meist bewirken, daß man ihn in Ruhe läßt. »Aufschreien vor Schmerz bei der geringsten Bewegung.« In seinen Träumen und Fieberphantasien geht es um »Zänkereien, ärgerliche Dinge und ängstliche Besorgung von Tagesgeschäften« *(Hahnemann);* er will nach Hause (Ruhe und Geborgenheit). Beim Versuch, über seine Lage nachzudenken, vergehen ihm die Gedanken, er kommt zu keinem Ergebnis. Bei dieser Schwäche, selbst das Maß zu bestimmen (Unentschlossenheit), nimmt von Zeit zu Zeit die Natur die Zügel in die Hand, um das gestörte Gleichgewicht der Kräfte wieder herzustellen. Hat der Mensch den angemessenen Umgang mit den Bedürfnissen seines Körpers gelernt, so baut die Natur die Notordnungen ab und gibt die Bewegung schrittweise wieder frei. Bryonia erleichtert und beschleunigt diesen natürlichen Heilvorgang. Es wäre eine falsche Gesinnung, wenn man meinen würde, ein Arzneimittel mache die Grenzüberschreitung folgenlos möglich. Grundsätzlich muß sich der menschliche Wille nach dem vorhandenen Vermögen richten.

Gabe: Bei Hexenschuß Bryonia D3, 3–5mal 1 Tabl. tgl., sonst Bryonia D6, 3mal 1 Tabl.

▶ Rhus toxicodendron (Rhus-t., Giftsumach)

Leitsymptome sind Ruhelosigkeit und unwillkürlicher Drang, sich zu bewegen, Verschlimmerung in der Ruhe, die Beschwerden nehmen bei Bewegung zu, bessern sich aber, wenn sie fortgesetzt wird. Die Beschwerden sind schlimmer im Liegen, nachts im Bett und nach Schlaf. Kälte und naßkaltes Wetter verschlimmern die Beschwerden, Wärme bessert. Diese Leitsymptome sind denen von Bryonia entgegengesetzt: »Der Kranke ist steif und lahm, wenn er anfängt sich zu bewegen. Es gibt sich, sobald er warm geworden ist. Aber bald wird er müde und muß ruhen, dann jedoch überkommen ihn Unruhe, Schmerzen und Unwohlsein, die ihn erneut zum Umhergehen veranlassen, wodurch es wieder besser wird. Aber dann wird er gleich wieder schwach, und so geht das weiter, so daß er sich niemals ganz wohl fühlt und niemals wirklich zur Ruhe kommt« *(Kent).*

Ich halte das Symptom »Ruhe verschlimmert« für das beunruhigende Symptom dieses Kranken. Es bedeutet, daß er sich in der Ruhe nicht wirklich erholen kann. Grund für die Störung der Erholungsfähigkeit ist die Überanstrengung. Wird die Erholungsfähigkeit irreversibel (= unheilbar) geschädigt, hat die Einwirkung (etwa Erkältung oder eine sportliche Gewaltleistung) eine unheilbare Wunde gesetzt, so ist der Körper von selbst auch nach Jahren nicht zum Ausgleich fähig. Überanstrengung möchte ich beschreiben als Unfähigkeit, sich von einer Anstrengung endgültig zu erholen; es bleibt ein Schaden, der die Leistungsfähigkeit dauernd einschränkt und der erstaunlicherweise auch nach zwanzig Jahren noch durch eine homöopathische Arznei behoben werden kann.

Gabe: Wenn Sie sich nach einer einmaligen Überanstrengung nicht erholen, so nehmen Sie 1 Tabl. Rhus toxicodendron D30 gleich. Sie ersparen sich damit nicht selten jahrelangen Kummer. Im gleichen Sinn gibt es eine Überlastung der Wärmeregulation: Hexenschuß z.B. im Gefolge einer (einmaligen) erheblichen Unterkühlung nach Schweiß oder bei Durchnässung, besonders bei einem Menschen, der kälteempfindlich ist. Wenn in diesem Fall die oben beschriebene Besserung durch fortgesetzte Bewegung eintritt, so ist das erste Mittel Rhus toxicodendron D30 Tabl. Allerdings werden diese Zusammenhänge oft ähnlich beobachtet, so daß Rhus toxicodendron nicht immer das passende Mittel ist.

Im Vordergrund der Überlastung steht das Bewegungssystem (Muskeln, Sehnen, Gelenke). Die Glieder sind nachts oft wie gelähmt, steif und gefühllos (wie von Holz, wie abgestorben), schmerzhaft wie wund und zerschlagen oder »verdreht«. Die ersten Bewegungen nach der Ruhe verschlimmern den Schmerz, fortgesetzte Bewegung und Wärme bessern ihn. Die Muskelschmerzen sind oft mit neuralgischen Schmerzen verbunden (Trigeminusneuralgie, Ischias). Rhus toxicodendron D6, 3mal 5 Tropfen tgl.

Praktisches Beispiel: »Keine Luft«

Ein 38jähriger Mann mit chronischen Atembeschwerden, hat besonders im Winter »keine Luft«. Zahlreiche fachärztliche Kontrollen haben keinen krankhaften Organbefund ergeben. Jede Anstrengung wird als große Belastung erlebt; es besteht Schweißneigung und Verschlechterung des Befindens bei Regen. Die Störung habe vor 20 Jahren nach einem einmaligen, sehr schweren Fußballtraining begonnen, seither habe er nicht mehr Fußball spielen können; auch sonstiger Sport sei nur noch in engen Grenzen möglich. Nach Gaben von Rhus toxicodendron trat in wenigen Tagen eine Wende ein, und der Mann wurde sportlich wieder leistungsfähig. Das wahlanzeigende Symptom war die einmalige Überanstrengung, die zu einer Dauerschädigung der Leistungsfähigkeit geführt hatte.

Der geschwächte Mensch

Arzneibilder

▶ Ambra grisea (Ambr., Ausscheidung des Pottwales)

Überschreitet der Mensch im Laufe des Lebens die natürlichen Grenzen seiner Kraft immer wieder, so werden sie durchlässig (undicht). Er verliert den Abstand, und die Reize dringen übermäßig tief ein. Er wird überempfindlich, überreizt, übermäßig beeindruckbar; alles greift ihn an, er wird schmerzüberempfindlich. Die Erregung hält lange an und greift um sich.

In Bewegung und Verhalten ist er ruhelos, hastig getrieben, ungeduldig, es geht nicht schnell genug, die Zeit vergeht zu langsam; er hat viel zu viel vor und erreicht doch nichts Fruchtbares (zweckarme Betriebsamkeit), stellt Fragen und ohne die Antwort abzuwarten weitere. Jede Erregung des Bewußtseins greift auf den unwillkürlichen Bereich über: Es kommt zu Atemnot mit krampfhaften Hustenanfällen, Herzklopfen, das durch den ganzen Körper gespürt wird, zu einem Gefühl, als ob das Herz wie ein Klumpen in der Brust liege. Die Verdauung verursacht Kopfdruck und Benommenheit. Vergeblicher Stuhldrang erzeugt Angst, durch geringe Anstrengungen, z.B. Pressen zum Stuhl, kann blutiger Ausfluß auftreten.

In Gegenwart Fremder kann er keinen Stuhl und kein Wasser lassen (Natr. mur.). Er ist menschenscheu, in Gesellschaft gehemmt; die Gegenwart Fremder verschlechtert seinen Zustand. Schon die Ankündigung eines Besuchs durch die Hausklingel läßt ihn hochfahren; er ist verlegen, wird rot; alles bringt ihn aus der Fassung.

Diese Überreizung führt zur Hemmung: Je mehr der Mensch zu fassen versucht, desto weniger kann er halten. Er muß den Satz zweimal lesen und begreift ihn erst nicht, er wiederholt die gestellte Frage, findet aber keine Antwort, verliert den Faden oder bleibt an einem Gedanken haften, wird verwirrt, erschöpft. Mut und Hoffnung vergehen und er fürchtet den Verstand zu verlieren, sitzt weinend und jammernd herum, wird lebensüberdrüssig und neigt zu Selbstmord. Er bemerkt seinen Zustand und bemüht sich, über seine Aufgaben, Fehler, Schwierigkeiten nachzudenken. Aber je mehr er sich damit beschäftigt, desto erregter und verwirrter wird er. Sein Zustand verschlimmert sich beim Drandenken; beim Sprechen hat der Kranke Angst.

Diese Erregung und Beängstigung erfaßt ihn besonders, wenn er ruhen will, abends im Bett. Obwohl er todmüde ist, wird er beim Hinliegen unangenehm wach.

Gabe: Diesem Menschen hilft Ambra grisea D3, 3mal tgl. 1 Tabl., zum Abstand von den Geschäften und zum Schlaf. Natürlich muß er den Abstand dazu benützen, wieder zwischen Tag und Nacht, zwischen Arbeit und Ruhe zu unterscheiden und zu begreifen, daß es besonders im Alter weniger auf die »Menge« der Arbeit ankommt als darauf, die nachlassende Kraft dem Notwendigen zuzuwenden.

▶ Argentum nitricum (Arg-n., Silbernitrat, Höllenstein)

Einem Menschen, der an Nervenschwäche (Neurasthenie) leidet, erscheinen die Dinge, der Raum und die Zeit zu »groß« und die eigenen Möglichkeiten zu klein; er hat zu wenig Selbstvertrauen, sein Schwerpunkt liegt nicht »innen«, sondern »außen«. Schon bei der Bereitstellung für die nächste Aufgabe werden übergroße Schwierigkeiten gesehen. Der Mensch gerät in eine übertriebene Erwartungsspannung bzw. Erwartungsangst, z. B. in Lampenfieber oder Examensangst. Er fürchtet sich vor der Arbeit, hat Angst, sie könnte ihm schaden, er fürchtet etwas zu unternehmen (Sil., Lyc., Ars.) aus Angst vor dem Mißerfolg, er hat Angst vor Vorgesetzten. In seiner Angst bekommt er Stuhl- und Harndrang; er zittert, bekommt Herzklopfen und Atemnot.

Macht er sich an die Ausführung der Aufgabe, so läßt zwar die Spannung nach und meist geht alles überraschend gut, aber die übermäßige Spannung verwandelt sich in Hast und Eile. Der Mensch möchte mit seiner Arbeit fertig sein, wenn er sie beginnt. Er fühlt sich gehetzt, und bei jeder Verabredung steht er unter Druck. Er liest, ißt und geht schnell, er hat Angst beim schnellen Gehen und geht dadurch immer schneller. Er hat das Gefühl, die Zeit vergehe langsam (Ambr., Nux-v.). Er gibt übermäßige Antworten auf vergrößert gesehene Anforderungen. Die Dinge werden übermächtig, weil der überempfindliche Mensch sie so erlebt. Die Häuser werden zu hoch, die Abgründe zu tief, er wird schwindelig, wenn er von einem Hochhaus, einem hohen Berg, oder Sessellift hinabsieht. Die Plätze werden zu weit, Raum und Zeit geraten aus den Fugen. Der Anblick hoher Häuser macht ihn schwindelig und läßt ihn wanken. Ihm scheint es so, als ob sich die Häuser ihm nähern und ihn erdrücken. Die Wege verengen sich, er fühlt sich einerseits in der unendlichen Weite verloren und von der Nähe und Übermacht der Dinge eingeengt, eingeschlossen und erdrückt. Kann der Mensch diese widersprüchlichen Vorstellungen nicht mehr vereinigen, so beginnt der Schwindel. Der Kopf wird als zu groß empfunden, der Kopfschmerz, der oft »mit der Sonne steigt und fällt (wie Gels.), wird durch festes Binden gebessert und durch Entblößen verschlimmert; Druck bessert. Dieser Mensch verhält sich gegenüber neuen Forderungen abwehrend, abweisend, widerspenstig.

In der Dunkelheit bewegt er sich unsicher. Er hat ein Schwäche- und Schweregefühl, besonders in den Unterschenkeln. Das Zusammenwirken der Muskeln und der seelischen Kräfte ist gestört (psychische und motorische Koordinationsstörungen). Das kann über Teilkrämpfe und Krampfanfälle (Epilepsie) schließlich zu Lähmungen führen. Öfters kommt es zu Schreib- und Sprechfehlern, z.B. Stottern. Die Endstation dieses Weges sind Erschöpfung und Depression. Der Mensch hat das Gefühl, alles falsch gemacht zu haben, er fühlt sich unnütz und verloren, zur Erfolgslosigkeit verdammt, ist traurig, melancholisch, hoffnungslos.

Außer ihrer nervösen Schwäche neigen diese Menschen zu Entzündungen und Geschwüren der Schleimhäute mit Splitterschmerz: Entzündung der Augenbindehäute, des Kehlkopfs, der Magen- und Darmschleimhaut und der Blase. Es kommt zu starken Blähungen (Meteorismus) mit schwierigem und schließlich lautem Aufstoßen und lauten Winden. Es besteht ein starkes Verlangen nach Süßigkeiten, die aber die Blähungen und den Durchfall verschlimmern.

Dieser überforderte Mensch hat Auffassungs-, Denk-, Gedächtnis- und Entscheidungsschwierigkeiten. Der Versuch, über die Schwierigkeiten nachzudenken, verschlimmert seine Beschwerden. Er wird benommen, versucht, sich vor diesen übermäßigen Pflichten in die Krankheit zu flüchten (psychische Verdrängungserscheinungen).

Der unruhige Schlaf mit Zusammenzucken und Aufschrecken, Angstträumen, Blähungen und Angstanfällen steigert das Gefühl, getrieben und verfolgt zu sein. Links-Liegen bessert das Herzklopfen oft. Er fürchtet die Selbstbeherrschung zu verlieren, hält sich für unheilbar, hat Angst vor der Zukunft, vor den Weltforderungen, vor der Arbeit, vor den moralischen Instanzen. Ihm fehlt der feste innere Halt, er sucht den Halt außen. Er will nicht allein gehen, will sich anlehnen, wenigstens Berührung haben, sich festhalten am Stock, am Fahrrad, an der Hand eines Kindes, selbst an der Hundeleine. Beim Treppen-Abwärtsgehen braucht er das Geländer. Er braucht »festen Boden unter den Füßen«, im wörtlichen und übertragenen Sinn, ein festes Gesetz, einen Druck von außen, der ihn von der eigenen Entscheidung und Verantwortung befreit.

Gabe: Argentum nitricum D12, 10 Tropfen, vor der nächsten Forderung, kann diesem Menschen helfen, eine angemessene Einstellung zu finden und damit das Gleichgewicht, die Distanz gegenüber der Umwelt, wieder herzustellen. Bei Prüfungsangst geben Sie am Abend vorher die Tropfen, und während der Prüfung zweistündig 1 Tabl. Strophantus D4. Das ist zuverlässiger als ein Tranquilizer und stört nicht.

▶ Cocculus (Cocc., Stefanskörner)

Im Mittelpunkt des Cocculus-Bildes steht die Schwäche der willkürlichen Muskeln sowie des willkürlichen Bewußtseins. Diese Schwäche der willkürlichen Leistungsfähigkeit wird von Anfang an »ergänzt« durch eine Steigerung der Empfindlichkeit im unwillkürlichen Bereich (Vagotonie). Es besteht eine große Überempfindlichkeit gegen Aufregung, Geräusche, Gerüche und Kälte.

Die Schwächung der willkürlichen Leistung wird zurückgeführt auf geistige Überanstrengung, auf Kummer, Sorgen und Ärger, schließlich auf häufige Unterbrechung des Schlafes und Nachtwachen. Dieser Mensch hat, wie es heute oft der Fall ist, seine Grenzen mit Hilfe des Willens überschritten und findet keinen Rückweg. Auch in der Ruhe tritt keine Erholung ein. Da stellt der Körper den Menschen für die Ruhe bereit. *Von Uexküll* schildert diese Bereitstellung (im Zusammenhang mit der Seekrankheit) so: »Ich war gleichgültig und apathisch. Die Welt ging mich nichts mehr an. Gleichzeitig war mein Körper auf Passivität, Ruhe und Schonung eingestellt. Die Muskeln erschlafften und die Knie wurden weich. Das Herz begann langsam zu schlagen und der Blutdruck sank. Schon die geringsten Bewegungen kosteten eine erhebliche Anstrengung ..... Der Versuch einer körperlichen Aktivität verstärkte auch die Seekrankheit. Dabei wuchsen Gleichgültigkeit und Apathie im gleichen Maß wie die körperliche Schwäche. Das Gegenteil trat ein, wenn ich mich ruhig verhielt und jede Bewegung vermied.«

Die Arzneimittellehren beschreiben diesen Schwächezustand so: Schwäche der Nackenmuskulatur mit Schwere des Kopfes. Die Muskeln scheinen den Kopf nicht mehr tragen zu können. Schmerzen im Hinterkopf und Nacken mit Schwäche der Nackenmuskeln, schlimmer beim Liegen auf dem Hinterkopf. Lähmender Schmerz im Kreuz. Anfälle von allgemeiner lähmender Schwäche mit Rückenschmerzen, die das Gehen behindern. Die Knie knicken ein vor Schwäche. Wanken beim Gehen und drohender Fall. Die Hände zittern beim Essen, beim Hochheben, beim Vorzeigen (Merc.).

Anfallmäßige Schwäche nach der geringsten Bewegung und nach jeder Nervenbeanspruchung. Schwindel bei jeder Bewegung des Kopfes; Schwindel wie betrunken.

Läßt sich das menschliche Bewußtsein durch diese Symptome nicht beraten, so verstärkt sich die Schwäche zum lähmenden Schmerz (Nacken,

Kreuz). Sie greift als Leere (Hohlheit) auf die inneren Teile über (Kopfleere, Herzleere, Magenleere usw.). Das Bewußtsein nimmt ab und vergeht: Die Wahrnehmung ist verlangsamt. Entsprechend vergeht die Zeit zu schnell (umgekehrt: Arg.-n., Nux-v., Ambr., Merc.). Der Mensch kann nicht mehr denken, sich nicht mehr erinnern. Seine Tätigkeiten werden fehlerhaft und langsam. Besonders Autofahren, Karussell, Eisenbahn- und Seefahrt steigert die Schwäche zu Kopfschmerz, Schwindel, Übelkeit und Erbrechen (vom Kopf ausgehend; bei Bryonia geht die Übelkeit vom Magen aus). Offenbar sind die Gleichgewichtszentren der Reizüberflutung nicht mehr gewachsen, die durch die dauernde Bewegung des Kopfes verursacht wird.

Der Schwäche im aktiven Ich-Bereich (Wille, Bewußtsein) steht die Überempfindlichkeit (Übererregbarkeit) im emotionalen und vegetativen Bereich gegenüber. Die Übererregbarkeit des Gemüts besteht darin, daß der Mensch allen ihn ängstigenden Einflüssen unterliegt; er ärgert sich, jeder Widerspruch regt ihn auf, er erschrickt leicht. Jedes Geräusch geht durch alle Glieder und läßt ihn zusammenfahren. Die gestörte Stimmung geht in Verzweiflung, Mutlosigkeit und Depression über. Er wird schnell traurig, brütet dumpf vor sich hin, ist schweigsam und ohne Hoffnung. Der Übererregbarkeit entsprechend sind die Bewegungen nicht mehr gut aufeinander abgestimmt (lokomotorische Ataxie). Nicht nur die Bewegungszentren versagen (Schwindel), auch die Bewegungen selber geraten außer Kontrolle. Es kommt zu Muskelzittern, Zuckungen, örtlichen (Kaumuskel-) und allgemeinen Krämpfen (Epilepsie), Krämpfen an Hohlorganen, dabei Leere und Hohlheit der Teile mit dem Gefühl, als ob ein Loch vorhanden wäre. Weitere Symptome sind Krampf in Schlund und Speiseröhre, Verengungsgefühl mit Hustenreiz, Geruchsüberempfindlichkeit besonders gegen Speisegerüche in der Schwangerschaft mit Erbrechen, krampfhaftes Gähnen und Aufstoßen, Blähungen mit Auftreibung des Leibes und Kolikschmerzen, Zwang sich ständig hin- und herzubewegen, Reizhusten mit Brustbeklemmung, Verstopfung mit vergeblichem Stuhldrang. Nach dem Stuhlgang tritt Afterkrampf auf, der am Sitzen hindert. Es besteht nervöser Harndrang (Erwartungsspannung, vgl. Arg.-n.). Gefäßkrämpfe bewirken ein Gefühl von Taubheit und Eingeschlafensein in den Gliedern, bald auf der einen, bald auf der andern Seite, wechselnd heiß und kalt (Brachialgia nocturna). Die Regel kommt zu früh, ist zu stark und zu lang. Sie ist ungemein schwächend, so daß die Frau kaum mehr gehen, stehen oder sprechen kann, und schmerzhaft, mit krampfhaften Blähungen, Übelkeit und Schwindel verbunden.

Der Schlaf ist unruhig, der Kranke schrickt leicht auf, wird von furchterregenden Träumen geplagt. Oft tritt gegen Mitternacht ein kolikartiger Schmerz durch Blähungen auf, der auf Windabgang nicht nachläßt. In diesen Fällen schläft der übermüdete Mensch bis in den Vormittag hinein. Einerseits schwächt jede Verkürzung des Schlafes sehr, andererseits tritt oft im Schlaf keine Erholung mehr ein. Schlaf und Ruhe können auch verschlimmern.

Im weiteren Verlauf greift die Verlangsamung und Schwäche auf alle Lebenstätigkeiten über. Die Wärmeregulation versagt (inneres Frieren); kalter Schweiß bricht aus; frische Luft verschlimmert. Die Überempfindlichkeit hört auf. Der Mensch ist verbraucht, benommen, betäubt, wie gelähmt. Die Glieder sind gefühllos. Er ist gleichgültig, ihn rührt nichts mehr, er ist äußerst verlangsamt, apathisch, lethargisch, er versinkt in geistige Erstarrung, wird stumpfsinnig.

Gabe: Bei Reisekrankheit Cocculus D30 Tabl., 1 Tabl. am Abend vor der Reise und mit Beginn der Reise alle 2 Stunden 1 Tabl. Mit Cocculus D6 kann man die Reisekrankheit (Kinetose) oft vermeiden. Anscheinend »informiert« Cocculus das Bewußtsein rechtzeitig über die bevorstehende Belastung. Bei Überempfindlichkeit helfen Cocculus D6 Tabl., alle 2 Stunden 1 Tabl.

▶ Zincum metallicum (Zinc., Zink)

Zink ist ein Mittel bei Nervenschwäche (Neurasthenie) für den überforderten und überempfindlichen Menschen. Nervenschwäche bedeutet, daß die Einzelleistung des Menschen nicht mehr in die Gesamtleistung eingeordnet ist, sondern als gesteigerte Teilleistung hervortritt, z.B. als gesteigerte Muskelspannung, Bluthochdruck, Blutzuckeranstieg. Der Überempfindliche nimmt mehr Reize auf, als er verarbeiten kann und reagiert unangemessen heftig. Der Mensch, dem Zink fehlt, ist besonders empfindlich gegen Geräusche, Licht, Berührung und Druck. Er ist lustig, lebhaft, vergnügt, geschäftig und in ständiger Bewegung. Aber bei genauem Hinsehen fallen seine hastigen Teilbewegungen auf. Der Unruhe fehlt das einigende Ziel. Die Hände zittern leicht. Nach einer geringen Anstrengung zittert der ganze Körper. Nach Aufregung befällt diesen schreckhaften, ärgerlichen, zornigen Menschen ein lang anhaltendes Zittern wie von Frost (ähnlich Arg.-n.). Er muß sich recken und strecken, man sieht viel Vibrieren und Zucken in den verschiedenen Muskeln, auch im Gesicht (Tics). Bei der Arbeit kommt es zu Schreibkrämpfen (Magn. phos.). Wegen der gesteigerten Muskelspannung sind die Glieder steif. Entlang der Wirbelsäule tritt ein brennender Schmerz auf, besonders im Bereich des 1. Lendenwirbels. Diese Schmerzen werden, ebenso wie die Ischiasneuralgie, bei Beginn der Bewegung schlimmer, bei fortdauernder Bewegung besser, um bei Überlastung erneut aufzutreten *(Mössinger)*. Abends in Ruhe tritt eine solche Mißempfindung und Unruhe in den Beinen und Füßen auf, daß der Kranke sie unaufhörlich bewegen muß. Bei Kindern tritt als Einleitung des Schlafes eine rhythmische Hin- und Herbewegung des Kopfes auf (Jactatio capitis, Kissenbohren, Kopfrollen). Im Schlaf kommt es zum Zusammenzucken, Zähneknirschen, Reden, Aufschrecken und Aufschreien, zu unruhigen Träumen und Schlafwandeln (Acon. Phos.). Die motorische Erregung kann sich bis zu den veitstanzähnlichen (choreatischen) und epileptischen Anfällen steigern.

Auch an der unwillkürlichen Muskulatur kommt es zu Krämpfen, besonders im Zusammenhang mit Schleimhautentzündungen: asthmatische Beklemmung, krampfhafte Schmerzen bei der Regel. Es besteht die Neigung, daß sich die örtliche Erregung infolge der »schwachen« Nerven ausbreitet. So kann das Zahnen oder ein Ärger zu allgemeinen Krämpfen führen. Was so »groß« aussieht, ist in Wirklichkeit eine ungenügend in das Ganze eingeordnete Teilleistung. Die gleiche Bedeutung hat eine sichtlich mangelhafte Teilleistung. »Wenn bei Scharlach der Ausschlag sich nicht richtig entwickeln will, so ist Zincum sehr dienlich« *(Nash)*. Sobald der Kranke bei Asthma Auswurf hat, die ausgebliebene Regel eintritt, der Ausschlag herauskommt, geht es besser. Und da die »Absonderung« nicht von selbst kommt, hilft der Kranke instinktiv nach: Er reibt, kratzt, scharrt, bohrt in Nase und Ohren, zupft an Lippen und Nase, kaut an Nägeln, stöhnt, jammert und sucht jemand, an dem er seinen Ärger und seine Mißlaune auslassen kann. Auch an die Unruhe in den Beinen muß in diesem Zusammenhang nochmals erinnert werden.

Etwas versteckt hinter dieser vordergründigen Unruhe entwickelt sich die Verlangsamung aller Funktionen mit Abmagerung und Anämie. Zuerst zeichnet sich eine Verlangsamung der geistigen Funktionen ab. Der Kranke ist »hirnmüde«: Das Gedächtnis ist schwach, das Urteilsvermögen vermindert und die Fähigkeit beschränkt, die eigenen Störungen zu erkennen und zu beschreiben. Der Kranke wiederholt gestellte Fragen und gibt erst nach langem Nachdenken unfertige und verschwommene Antworten. Er kann Gedanken schwer fassen und einordnen. Zuhören und Reden überfordern ihn. In Gesellschaft stört ihn das Reden anderer, er sucht jemand, an dem er seine Unleidigkeit auslassen kann, ist neidisch, leicht beleidigt und boshaft. Er kann auch wortkarg, still, langsam und traurig sein mit Neigung zu Schuldgefühlen und Selbstmordgedanken.

Nach der Erschöpfung der geistigen Leistung machen sich auch Schwäche und Ungenügen der vegetativen Funktionen deutlicher bemerkbar: Der Schlaf-Wach-Rhythmus ist umgekehrt, der Kranke ist zugleich schlaftrunken und schlaflos, er hat Kopfschmerzen, besonders an der Nasenwurzel, und Schwindel mit Fallneigung. Die Wärmeregulation versagt, er fröstelt sehr, besonders Hände und Füße sind ungenügend durchblutet. Aber auch Föhn und Hitze belasten. Die anfänglich gesteigerte sexuelle Erregung bei früher, starker Regel geht - oft über Exzesse - in Schwäche und Erschöpfung über. Heißhunger bewirkt Magen-Darm-Störungen, um 11 Uhr vormittags zeigen sich Schwächeanfälle, der Kranke empfindet Ekel vor Süßigkeiten, Fleisch und Fisch und erbricht nach dem Essen. Wein verschlimmert allgemein. An Herz und Kreislauf fällt die Pulsbeschleunigung auf mit Störung der peripheren Durchblutung und Stauung in den Venen (Krampfadern). Die »neuralgischen« Schmerzen beruhen teilweise auf Durchblutungsstörungen. Zink hat Beziehungen zur exsudativen und neuropathischen Diathese *(s.S. 45)*. Diese Krankheitsbereitschaft stellt sich als ererbte (oder erworbene) Krankheitsanlage vor, die den Menschen (ohne Behandlung und Heilung) chronisch und lebenslänglich stören kann *(s.S. 45ff.)*. Nach *Stierlin* sind die Kränksten eigentlich die Gesündesten, denn sie nehmen die Auseinandersetzungen mit den Gleichgewichtsstörungen auf sich, welche die andern nur notdürftig mit Augenblicksmitteln verdrängen, ohne den Konflikt bis zur Heilung (oder zum Tod) auszutragen. Wenn ein Ausschlag nicht herauskommt oder eine Absonderung unterdrückt wird, so sind wir scheinbar gesünder, weil wir ein Symptom weniger haben, aber diese nicht ausgetragene Krankheiten werden chronisch.

Gabe: Bei Unruhe in den Beinen abends im sitzen ist Zincum metallicum D12, 1 Tabl. abends, das erste Mittel (auch Zinc. valer. D6, besonders wenn der Schlaf gestört ist.)

Das gestörte Verhältnis zu Alter, chronischer Krankheit und Tod

Man sollte im Kind das eigene Ich wachsen lassen und nicht versuchen, einen altklugen Greis aus ihm zu machen. Hat man das Kind-Sein nicht wirklich gelebt, wird man nicht erwachsen, sondern bleibt infantil und sentimental. Die Erwachsenen müssen sich *ihren* gegenwärtigen Lebensaufgaben zuwenden und tun, was das aktive Leben fordert.

Die Wirklichkeit des Alterns wird oft verdrängt. Es genügt nicht, den Sinn dieser Phase in einer Idylle von schönem Lebensabend und viel Blumen zu ertränken, während sich die Mißerfolge häufen und die Ängste wachsen. Man hat Furcht davor, etwas zu unternehmen (Arg-n, Ars., Sil., Lyc.) und unheilbar krank zu sein. Im Hintergrund breitet sich die Angst aus vor dem leiblichen Tod, dem Verlust des Verstandes und der Verdammnis. Die Tiefe ahnt wirklichkeitsgemäß, daß das individuelle Leben in die Zerreißprobe kommt, und dem Menschen wird bewußt, daß das Unvermeidliche ablaufen wird: »Was am meisten ihn entsetzte, das Allerschlimmste kam zuletzt; ein alter Esel kam und fraß die ganze, von ihm so heiß geliebte Pflanze« *(Busch)*. Schon die Sumerer haben sich mit diesem Problem auseinandergesetzt (Inanna bei ihrer Schwester Ereshkigal in der Unterwelt).

Das Gemeinsame von Alter, chronischer Krankheit und Sterben ist der Abbau der Ichgröße. Wer an das Ich an sich glaubt, kann auf dessen Abnahme nur mit Trauer, Niedergeschlagenheit und Verzweiflung reagieren. Um seinen Tod als Individuum annehmen zu können, muß man das Individuum im Ganzen begreifen und glauben, daß Schwierigkeiten und Prüfungen ihren Sinn haben, daß das Leben als Ganzes auch den Tod überdauert und die Nöte dazu dienen, den nächsten notwendigen Schritt hervorzurufen. Ich kann nur raten, sich mit der ostasiatischen Auffassung vom Wandel vertraut zu machen, um nicht eines Tages hoffnungslos vor den Ruinen zu stehen, die das Leben hinterläßt.

Auch das Alter muß auf das zukünftige Leben bezogen werden, es dient nicht der Selbstbefriedigung, sondern dem Leben. Wenn man Alte, Kranke und Sterbende in Anstalten absondert, so versäumt man das, was man später zum eigenen Alt- und Krankwerden braucht.

Ich neige zur ostasiatischen Auffassung: Nicht die körperliche Abnahme ist entscheidend, sondern die Verantwortung.

Das gestörte Verhältnis zum Alter

Der Sinn des Alters

Mit zunehmendem Alter erschöpft sich der Anpassungsspielraum der Verhaltensmuster. Die Verhaltensweisen, die bisher zur Lösung der Lebensprobleme ausreichten, erweisen sich als ungenügend, die Umwelt verändert sich immer rascher. Es gibt nur zwei Möglichkeiten: Entweder paßt der Mensch die Welt an seine Verhaltensmuster an und scheidet sich dadurch immer mehr von der Wirklichkeit oder er ändert seine Vorstellung und Einstellung. Das ist der eigentliche Sinn der Wechseljahre, und ich denke, daß der Mensch für diese Umstellung Jahre braucht. Dies bedeutet eine Umschaltung von Aufbau und Zunahme auf Abnahme, Verminderung und Schwund; von der sinnlichen Naturwelt auf eine geistige Welt, die der Mensch erst kennenlernen muß; von der Arbeits- und Berufswelt auf eine Welt, in der äußerlich weniger geleistet wird und weniger geleistet werden kann. Was bleibt da von dem Schein, den uns die Werbung für einen schönen und sorgenfreien Lebensabend vorspiegelt, für den man ein Leben lang gearbeitet und vorgesorgt hat? Der alte Mensch, der sich während der »sauren Wochen« (und Jahre) der Arbeit so auf die Alters»feste« gefreut hatte, soll jetzt z.B. seine Portionen abwiegen wegen des Diabetes; wegen seiner Arteriosklerose darf er nicht mehr rauchen, wegen seiner Gicht soll er Fleisch und Alkohol meiden; wegen seiner Gelenkveränderungen kann er kaum mehr gehen, wegen seiner Kreuzschmerzen ist der Schlaf gestört; der Stuhl geht zu selten oder zu oft; das Wasserlassen fordert viel unangenehme Aufmerksamkeit; das Sehen läßt nach und ist auch durch die teuerste Brille nicht zu heilen. Das Hörgerät taugt zum Hören dessen, was man nach Meinung der Jungen nicht hören sollte: Es ist alles ganz anders, als gedacht, geplant und vorgesorgt war.

Einen Weg aus dem gestörten Verhältnis zum Alter finden wir, wenn wir fragen, was Alter und Krankheit für einen Sinn haben. Nur ein mechanisch denkendes Gehirn kann an den ewigen Fortschritt und Aufstieg glauben. In der Wirklichkeit ist dem Frühling und Sommer der Herbst und Winter gefolgt; den sieben fetten die sieben mageren Jahre, dem Aufbau der Abbau und dem Wachstum die Schrumpfung.

»Was jeder sucht, das wird ihm gegeben; wer Rost sucht, der wird Rost finden« *(Paracelsus)*. Ich habe mehrfach erlebt, daß alte Leute schnell körperlich und geistig »verrosten«, wenn sie aus der Verantwortung entlassen wurden. Einige Male ereignete es sich, daß der bisher Unfähige wieder Verantwortung übernehmen konnte, nachdem der Betreuer »ausgeschieden« war; sogar nach dem fünften Schlaganfall war eine ausreichende Eigenleistung möglich.

Die falsche und die rechte Einstellung zum Alter

Für einen Ostasiaten gibt es nichts Unwürdigeres als einen naiven Berufsmenschen, der nur für sein materielles Wohl gesorgt hat *(Kitayama),* der also, westlich gesprochen, lebenslänglich für seine Rente gearbeitet hat, um im Alter das Leben »genießen« zu können. Ein solcher Mensch erlebt die Kindheit als Vorbereitung auf die Hoch-Zeit des aktiven Erwachsenen. Man sucht diese Hoch-Zeit künstlich hochzuhalten und auszukosten; nach uns die Sintflut. Von da an kann es eigentlich nur noch abwärts gehen; das Alter ist ein sinnloses, wehmütiges Verwelken.

Ich äußere mich dazu, weil ich denke, daß mancher Mensch dieses heute herrschende Empfinden nicht teilt, weder die Verachtung der Alten noch ihre eigene Selbstbemitleidung. Mit zunehmendem Alter *kann* man menschlicher werden, wesentlicher, verantwortlicher gegenüber der Zukunft des Lebens. Man kann ein deutlicheres Gefühl für das Eigentliche und Bleibende bekommen, die Ich-Wichtigkeit nimmt ab, - vorher mußte man das Ich entwickeln und sein Reich erweitern - jetzt schwinden die Teilwichtigkeiten und das Ganze bekommt Platz. Das Vermögen, für das Ganze Verantwortung zu tragen, wird nicht nur im Tierreich genützt (Leittier), es wurde auch in der menschlichen Geschichte erkannt und anerkannt, so z.B. beim Rat der Alten, dem Senat (lat. senex = Greis).

Allerdings *muß* man diese Verantwortung nicht annehmen, sondern kann sie auch versäumen und aus dem Bewußtsein verlieren. Dann verbraucht man am Lebensabend die Überreste seiner vergangenen Herrlichkeit.

Arzneibilder

▶ Aurum (Aur., Gold)

Der Aurum-Typ ist ein kräftiger, roter, untersetzter Mensch mit kurzem Hals und oft dunkler Farbe; trotz Schwerblütigkeit laut, aktiv, ein Geschäftsmann, »der, um zu Erfolg und Reichtum (Gold) zu gelangen, über Leichen, auch über die eigene geht!« *(Dorcsi).* Er ist autoritär, hochmütig, erträgt keinen Widerspruch, wird jähzornig und gewalttätig, wenn er auf Widerstände stößt. Solange seine gehobene Stimmung dauert, entfaltet er einen beinahe unbegrenzten Tätigkeitsdrang, er ist peinlich genau, nichts kann ihn bremsen, bis er eines Tages auf jene Grenze stößt, die nicht zu überschreiten ist. Dann schlägt seine Stimmung in tiefe Depression um, weinerliche Mutlosigkeit erfaßt ihn. Über Gott, sich selbst und die Welt schimpfend, hat er nur den Wunsch zu sterben. Es kümmert ihn nicht, wenn daran auch die Familie und das Geschäft zugrunde gehen. Andere Kranke erfüllen ihre Altersaufgabe so verantwortlich wie in der »Hochzeit« ihr Geschäft, auch wenn sich ihnen manchmal das Herz umdreht. Auch das gehört zu Aurum.

Natürlich wird die Stimmung gedrückt, wenn das Leben von der Phase des Wachsens, Blühens und Gedeihens, der Ausbreitung und Vergrößerung sich der Abnahme der Beziehung, der Verminderung, dem Schwund zuwendet, der im Tod endet. Nicht immer ist die Depression so heftig und eindrücklich wie bei Aurum, aber man wird ihr in den »Wechseljahren« mehr oder weniger regelmäßig begegnen. Ich will Ihnen ein solches Krankheitsbild vorstellen, Sie lernen damit zugleich ein neues Arzneibild kennen; ich benütze den Arzneinamen der Einfachheit halber zugleich als Namen für den Kranken *(vgl. S. 19)*.

▶ Sepia (Sep., Inhalt des Tintenbeutels eines Tintenfisches)

Sepia ist gewöhnlich eine schlanke, hochgewachsene Frau mit dunklen Haaren und Neigung zu braunen Flecken in der Haut (Chloasma), besonders während der Schwangerschaft. Das Bindegewebe ist schlaff - rigide; »alles hängt«, die Oberlider sind gesenkt *(Gels., Caust.),* die Eingeweide und besonders die Gebärmutter und Scheide drängen nach unten, als ob sie nach unten herausfallen wollten; Sepia sitzt deshalb gern mit übereinandergeschlagenen Beinen. Die erschlafften Venen zeigen sich in Krampfadern; Hände und Füße sind entsprechend tagsüber kalt und brennen nachts im Bett. Durch Gehen im Freien wird die Venenstauung gebessert. Die Muskel- und Gelenkschwäche führt besonders in den Wechseljahren zu Gelenkerkrankungen.

Dem schwachen Bindegewebe entsprechend ist Sepia geschlechtlich und seelisch leicht verletzt, beleidigt und gedemütigt. Diese seelische Verletzung muß kein echter Gewaltakt sein, es liegt einfach ein Mißverhältnis zwischen den alltäglichen Lasten und der Belastungsfähigkeit des Menschen vor.

Praktisches Beispiel: Überlastung

In unserem Fall bestand die Überlastung darin, daß die junge Frau gleich nach der Geburt ihrer zwei Kinder die schwerkranke und sterbende Mutter pflegen mußte, die bis dahin stiller Mittelpunkt der Familie gewesen war.

Dieser Belastung folgte die nächste: Der krebskranke Vater, war nicht nur unselbständig, anspruchsvoll und gefühllos, sondern wurde auch trunksüchtig. Schließlich fing die Frau selbst an zu trinken, so daß sie ihren häuslichen Pflichten nicht mehr nachkommen konnte und in eine psychiatrische Anstalt eingewiesen werden mußte. Nach ihrer Entlassung hielt sie sich vom Alkohol fern, machte ihren Haushalt ordentlich und ging zur Arbeit in die Fabrik. Mit der Annäherung an die Wechseljahre und im Zusammenhang mit einer neuen Belastung (durch Alter hirngestörte Schwiegermutter) traten jeweils im Periodenbereich Gleichgültigkeitszustände auf, die ich genauer beschreibe.

Einige Tage vor der Periode wird der Stuhl verstopft, der Kot liegt wie eine Kugel im Mastdarm und löst vergeblichen Stuhldrang aus. Zwei Tage vor der Periode überfällt sie ein großer Schaffensdrang (Putzfieber, Arbeitswut). Dabei kann sie ohne Müdigkeit bis nachts um 24 Uhr arbeiten. Der Schaffensdrang ist mit großem Hunger verbunden. Einen Tag vor der Periode tritt ein Stirnkopfschmerz auf, ohne daß der Schaffensdrang weniger wird; wenn sie aber jetzt nicht aus Verstand nachläßt, steigert sich der Kopfschmerz bis zum Erbrechen. Mit Eintritt der Periode hört die Arbeitswut auf, die Frau wird appetitlos und frostig. Anfangs macht sie ihre tägliche Arbeit noch mit zunehmender Anstrengung; am dritten Tag hört auch das auf. Dann jammert sie darüber, wie »es aussieht«, sie könne den Kindern kein Essen mehr kochen. Sie läßt alles liegen, regt sich über alles auf, muß viel weinen. Zeitweilig krampft sich das Herz zusammen, mit ausstrahlenden Schmerzen in den linken Arm. Trotz Müdigkeit findet sie in der Nacht keinen Schlaf. Die Schwermutsphase dauert vom ersten Blutungstag an bis zwei Tage nach der Periode. Dann versteht sie selbst nicht mehr, wie sie so sein konnte.

Mit Sepia LM VI bis LM XXX konnte der Frau geholfen werden; es mußte allerdings bei nachlassender Wirkung von Zeit zu Zeit wiederholt werden.

Das gestörte Verhältnis zur chronischen Krankheit

Der Krankheitsbegriff

Die Vorstellungen von der chronischen Krankheit sind entsprechend den entgegengesetzten Grundeinstellungen verschieden *(vgl. S. 11)*. Die wissenschaftliche Medizin sieht in ihr eine nicht ausgeheilte akute Krankheit, die homöopathische Heilweise eine fortdauernde Verstimmung der Lebenskraft, die sich in chronischen Symptomen ausdrückt. *Hahnemann* bezeichnet diese unmerkliche Grundverstimmung als Psora. Die Symptome sind oft minimal und über die Lebenszeit verstreut. Der einzelne Kranke drückt nur einen Teil der Symptomatik aus, so daß man sehr viele einzelne chronische Kranke anhören muß, um der chronischen Gesamtsymptomatik näher zu kommen (§ 103). Alle Kräfte, die das chronische Ungleichgewicht verstärken, tragen dazu bei, das »Fremde« im gestörten Organismus auszubreiten und schließlich an die Macht zu bringen. Hat man eine akute Krankheit richtig durchgemacht, dann ist man gesünder; nach jedem unterdrückten Schub der chronischen Krankheit ist man kränker.

Hahnemann beobachtete als anfängliche Hauterscheinungen Krätzkrankheit und Aussatz. Die neuere Kinderheilkunde *(Czerny, Birk)* bestätigte dies und auch ich meine, daß die Hautsymptome zu den frühesten Psora-Zeichen gehören *(s. S. 45)*. Manchmal sieht man schon am Ende der ersten Lebenswochen auf den Wangen ein paar unscheinbare rote Pünktchen, die das seborrhoische bzw. atopische Ekzem ankündigen. Dennoch halte ich mich lieber an die gegenwärtigen Symptome, selbst wenn sie klein und unscheinbar sind, und an die Erinnerungen des Kranken, die im Augenblick bei ihm lebendig werden. Durch das wache ärztliche Interesse fallen dem Kranken manche Symptome ein, die er bisher nicht beachtet hatte. So wird man empfänglich für die chronischen Zeichen, die man verächtlich beiseite geschoben hatte: für das gelegentliche flüchtige Ekzem hinter den Ohren, das Jucken im Gehörgang, den leichten Ausschlag in den Ellbeugen und Kniekehlen, die Flecken auf der Zunge. Man weiß dann nach einiger Erfahrung, daß in dem Maße, wie die Hauterscheinungen zurückgehen, ein chronischer Rachenkatarrh folgen wird und man im weiteren Verlauf mit Heuschnupfen und Asthma rechnen muß. In der Ohrenklinik wurde beobachtet *(Schwarz),* daß die Nasenschleimhaut zuerst dürftig aussieht (Hypoplasie) dann wuchert (hypertrophiert) bis zur Polypenbildung und zuletzt verschwindet (atrophiert).

Hat man einmal nach »kräftigen« abschwellenden Nasentropfen erlebt, daß der Heuschnupfen verging, aber das Asthma kam, so wird man nachdenklich. So litt ein Mann abwechselnd an Hautausschlag, Asthma und Gelenkrheumatismus (Dulcamara). Die jeweilige Krankheit wich der üblichen Behandlung meist sofort, aber dem »geheilten« Ausschlag folgte das Asthma, das durch Behandlung zuverlässig in Rheuma verwandelt wurde und dieses wieder in den Hautausschlag.

Heute ist für mich die regelhafte Aufeinanderfolge von zusammengehörigen Krankheiten selbstverständlich; die Ketten werden immer länger. Kürzlich sah ich einen 26jährigen Akademiker, der während seiner Krankheitszeit vom Milchschorf über Heuschnupfen, Asthma, Magengeschwür beim *M. Crohn* angekommen war. Der »Rückmarsch« dauerte in der umgekehrten Reihenfolge zwei Jahre. Dies entspricht der *Hering*schen Regel: Das Krankwerden geht von außen nach innen, von der Haut zum Grundgewebe, und von dort in das Nervensystem bzw. den Zellkern, die Heilung von innen nach außen.

Krankheitsverlauf. Die Krankheit beginnt in dem Augenblick, indem der verunreinigende Erreger (Miasma) die Oberfläche des Organismus (Haut, Schleimhaut) und damit die Grenze zwischen Außenwelt und Innenwelt überschreitet und in die Gewebsflüssigkeit eindringt. Die verunreinigte Gewebsflüssigkeit erreicht über die Lymphbahnen die örtlichen Lymphknoten, die sie reinigen. Schwellungen der Lymphknoten können gesteigerte Tätigkeit anzeigen oder Überforderung, d.h. gesteigerte, aber ungenügende Leistung. Ist die in die Blutbahn einfließende Lymphe nicht keimfrei, erreicht also »Fremdes« den Blutkreislauf, so wird das Miasma dem ganzen Organismus mitgeteilt *(Hahnemann).* Der Körper braucht einige Zeit (vier bis zwölf Tage), um auf das eingedrungene Fremde angemessen zu antworten, z.B. mit Fieber, Ausschlag. Meist wird das Miasma durch die akute Krankheit wieder aus dem Körper entfernt. Dies gelingt dem Organismus am besten, wenn man ihn sinngemäß unterstützt. Bekämpft man diese natürliche Heilung durch gewaltsame oder anders unterdrückende Gegenmaßnahmen, so verschwinden zwar manchmal die Symptome, aber die Krankheit läuft Gefahr, chronisch zu werden und *nicht* auszuheilen.

Praktisches Beispiel: Die »Urlaubskrankheit«

Ein Milchschorf-Kind, das unter Calcium carbonicum frei von Hauterscheinungen geworden war und dessen Eltern ich wegen seiner Diathese vor Chemotherapeutika gewarnt hatte, bekam im Auslandsurlaub wegen hohen Fiebers Penizillin und war dann ein bis zwei Tage fieberfrei. Gegen den Rückfall half ein stärkeres Mittel nur halb: Das Fieber ging auf 38,5° zurück, aber akuter Gelenkrheumatismus trat auf. Die Hände waren rot geschwollen und schmerzhaft. Die Eltern erinnerten sich jetzt an meinen Rat und fuhren sofort nach Hause. Das Kind bekam Sulfur, worauf die Temperatur innerhalb weniger Stunden auf 41 Grad anstieg und die Schmerzen in den Gelenken verschwanden. Nach einem Tag war das Kind fieberfrei und konnte sich wieder frei bewegen.

Die in ihrer Heilung behinderte, vermutete Halsentzündung hatte sich in das tiefe Zwischengewebe ausgebreitet und hätte sich zu einem chronischen Gelenkrheumatismus entwickeln können, wenn man die natürlichen Heilbemühungen des Körpers weiter behindert hätte. Sobald durch Sulfur der natürliche Heilvorgang wieder angeregt war, holte der Körper in einer heftigen Reaktion nach, was unterdrückt war.

In diesem Fall konnte ich den Eltern voraussagen, daß die nicht durchgestandene Krankheit »nachgeholt« werden würde. Sie sollten mich sofort davon unterrichten, ohne dem Kind eine Arznei zu geben. Nach drei Wochen war die »Urlaubskrankheit« wieder da: eine klassische Mandelentzündung, die mit Mercurius solubilis D12 in drei Tagen abheilte, ohne daß sich Rheuma oder Hauterscheinungen zeigten. In den letzten fünf Jahren ist kein Rückfall aufgetreten.

Hat sich der Erreger in einem geschützten Winkel des Grundgewebes festgesetzt (z.B. in den Mandeln, Zähnen, Nebenhöhlen oder in der chronisch entzündeten Schleimhaut eines Hohlorgans wie der Harnblase), dann verharrt die innere, ganze Krankheit lebenslänglich im Organismus und breitet sich immer mehr aus. Hierin sieht *Hahnemann* den großen Unterschied zwischen akuter und chronischer Krankheit. Diese Ausbreitung kann von äußeren Ursachen ausgelöst und begünstigt sein, was nicht immer sicher zu erkennen ist. Die unbekannten inneren Prozesse kann man aber in den äußeren Krankheitserscheinungen erkennen, auch in ihrer Reihenfolge und in ihren Zusammenhängen, wenn man sie sorgfältig beobachtet.

Mit 48 Jahren, mit den beginnenden Wechseljahren, wurde eine Frau schwermütig. Nach einer Gebärmutteroperation wegen Myom mit 49 Jahren begannen Blasenbeschwerden, zunächst in größeren Abständen, dann immer häufiger, bis mit 64 Jahren eine hochfieberhafte Nierenbecken-Blasenentzündung auftrat, die mit Sulfonamiden behandelt wurde. Mit 67 Jahren war eine Krankenhausbehandlung erforderlich wegen rechtsseitiger Lungenentzündung und beiderseitiger Nierenbeckenentzündung. Unter der üblichen Antibiotika-Behandlung ging das Fieber rasch zurück, aber leichte Temperaturerhöhungen dauerten im Krankenhaus und nach der Entlassung an, obwohl die objektiven Untersuchungen außer einer leichten Streifenzeichnung der Lunge keine abweichenden Befunde ergaben. Sie hustete noch wochenlang. Auch in der Folgezeit traten immer wieder Atemwegsentzündungen mit Atemnot (Giemen) und wiederkehrende Blasen-Nierenbecken-Entzündungen auf, die medikamentös behandelt wurden. Mit 70 Jahren kam ein schwerer Gelenkrheumatismus. Er begann an der linken Hand mit dicker Schwellung, praller Venenfüllung, klopfenden Schmerzen und völliger Bewegungsunfähigkeit der Hand. Die Gelenkentzündung griff auf die rechte Hand über, ging weiter auf die linke Schulter, auf die rechte Schulter und zuletzt auf das linke Sprunggelenk. Diese akute Phase dauerte fünf Monate; wobei die Schmerzen in den zuerst befallenen Gelenken in dem Maß nachließen, wie neue Gelenke ergriffen wurden. Der Verlauf der Krankheit ähnelte also dem des vorigen kleinen Patienten, war aber viel ausgedehnter und erstreckte sich über fast 25 Jahre, vom 48. bis zum 73. Lebensjahr. Entscheidend ist, daß die Kranke, die über 20 Jahre die Blasenentzündung immer wieder mit Sulfonamiden »heilte« (unterdrückte) und mit sanfter Unnachgiebigkeit darauf bestand, »weil die Tabletten so gut helfen«, mit Ausbruch des Rheumatismus schlagartig wie umgewandelt war: Sie weigerte sich nicht nur, nochmals ins Krankenhaus zu gehen, sondern wollte nur die Arznei nehmen, die ich ihr von mir aus gäbe. Ich gab ihr Sepia. Ohne die volle Mitarbeit der Kranken wäre das halbe Jahr bis zur Heilung nie durchzuhalten gewesen. Der Rheumatismus heilte ohne jede Verformung der Hand- und Fußgelenke aus. Bis heute erkrankten die Gelenke der jetzt 83jährigen Frau nicht mehr.

Nach dem Rheumatismus war die chronische Bronchitis bis auf die bei den meisten Menschen üblichen gelegentlichen Infekte verschwunden. Die Blasenentzündung wiederholte sich seltener und in leichter Form und beruhigte sich jeweils auf Berberis D3. Etwa mit 78 Jahren kam, was ich beinahe erwartet hatte, nur nicht in der geradezu lächerlichen Ähnlichkeit: Die Lungenentzündung rechts mit akuter Nierenbeckenentzündung wiederholte sich, ausgerechnet in meinem Urlaub. Aber die Kranke blieb stur und weigerte sich, ins Krankenhaus zu gehen. Sie nahm nur »ihr Sepia«, das sie anzuwenden gelernt hatte, und als ich zurückkam, war alles schon beinahe abgeheilt. Auch in den letzten fünf Jahren hatte sie diesbezüglich keine Beschwerden. Der Blasenherd hat sich nicht mehr gezeigt.

Breitet sich das Fremde schließlich ins Nervensystem oder in den Zellkern aus, so hat das letzte Stadium der chronischen Krankheit begonnen.

Das gestörte Verhältnis zum Tod

Wir alle leben vom Lebendigen, davon, daß anderes Leben stirbt. Das Gesamtleben ist mächtiger als der Tod, »bleibt Eins, und wenn du es scheidest bis auf den Grund« *(Hölderlin).* Mit dem individuellen Tod scheidet man nicht aus dem Leben, sondern man vollendet seine Lebensaufgabe.

Man ist zum Sterben und Tod falsch eingestellt, wenn man das eigene Leben vom Gesamtleben trennt. Wer sich geistig vom Ganzen scheidet, wählt damit den Tod, gleichgültig, ob er sich fanatisch an sein Eigenleben klammert oder sich selbst tötet. Wo das Gleichgewicht zwischen Einzelleben und Gesamtleben gestört ist, kommt für das »private Leben« nichts mehr heraus. Der Wohlstand dieser Zeit ist *eine* Ansicht; die andere hat *Nietzsche* schon vor hundert Jahren geschrieben: »Wo der langsame Selbstmord aller das Leben heißt«.

Die natürliche Todesfurcht, die sich in Furcht vor Unheil, Verletzungen oder Krankheit zeigt, ist der sicherste Schutz vor dem Tod. Dieser kann schnell eintreten, wenn die lebendige Aufmerksamkeit nachläßt. Durch äußere Absicherungen und Versicherungen wird die eigene Wachsamkeit eingeschläfert; es wächst auch die »Risikobereitschaft«. Letztlich ergeben sich durch die vordergründigen Sicherheiten mehr Verletzte, Kranke, Unfalltote, als wenn die eigene Verantwortung wach geblieben wäre: Mit Blaulicht und Martinshorn im Hintergrund kann man das Leben leichter riskieren (Spieler-Einstellung). Im übrigen - so glaubt man- ist durch den Kausalmechanismus die Zukunft festgelegt: mit oder ohne Alkohol, Überernährung oder Russischem Roulette. Übergänge von der Risikobereitschaft zur Selbstmordneigung werden fließend - und das wirkt sich aus, nicht nur auf der Landstraße, sondern ebenso bei dem inzwischen bekannten Selbstmord mit Messer und Gabel.

Wer sterben *will,* den kann man trösten: der individuelle Tod ist ganz sicher. Aber mit innerer Ruhe begegnet das Individuum nur dem *angemessenen* Tod, der sich ins Gesamtleben einordnet. Man muß sich auf das Sterben einstellen, wenn die Zeit gekommen ist. Dann wird die jugendliche Todesfurcht schwinden. Die Natur ist nicht so grausam, wie sie gewöhnlich dargestellt wird; sie hilft oft zu einem leichten Tod, wenn man bereit ist, seine Lebensaufgabe recht zu vollenden. Wenn man allerdings seine Jugend nicht lebt und seine Erwachsenenaufgabe nicht erfüllt, dann wird man der letzten Krankheit keinen Sinn abgewinnen.

Die letzte Lebensaufgabe ist das Sterben. Auch das Sterben ist erscheinende Wirklichkeit und bedarf der genauen individuellen Aufmerksamkeit. Wer die übliche Betäubung im Leben durch die »barmherzige Lüge« am Schluß ergänzen möchte, dem steht dies frei. Der herannahende Tod wird gewöhnlich ebenso ignoriert wie andere unangenehme Erscheinungen. Ist die Wirklichkeit nicht mehr ganz zu verdrängen, so wird man sich empören, man wird die Erscheinungen mit allen Mitteln bekämpfen, um Aufschub betteln und schließlich resigniert aufgeben.

Ich rate zu einem natürlichen Verhalten. Wer die erscheinende Wirklichkeit nicht beachtet, den sollte man nicht »bekehren« wollen. Wer sie aber sieht und beobachtet, dem kann man auch hier mit den angezeigten Mitteln helfen, die letzte Aufgabe wahr und recht zu lösen. Sterbende haben mir glaubhaft versichert, daß es ihnen recht war, nicht angelogen worden zu sein.

Die Teilhaber am ewigen Leben bringt man nicht um; das Leben hat den Tod schon öfters erlitten *und* überlebt.

Arzneibilder

▶ Barium carbonicum (Bar-c.)

Praktisches Beispiel: Arterienverkalkung

Eine 84jährige Frau, rundlich, rot, blaue Augen, schwerfällig, saß meist ruhig und untätig in ihrem Sessel; sie stand gewöhnlich morgens noch selbst auf, zog sich an, aß; das Essen schmeckte ihr immer sehr gut, und sie war entsprechend dick. Wenn sie gut gestimmt war, ließ sie sich sogar zu kleinen Arbeiten anweisen, z.B. Stricken. Die Hirnleistungsschwäche war weit fortgeschritten, sie war unfähig, sich an Dinge zu erinnern oder sich umzustellen. Obwohl ich seit Jahren ins Haus kam, um ihr die wegen einer Blutkrankheit monatlich notwendige Spritze zu geben, kannte sie mich eigentlich nicht. Sie bekam wegen ihrer Arterienverkalkung wechselnde Arteriosklerosemittel, zuletzt Cinnarizin 75 mg, ohne daß dadurch eine zunehmende Verschlechterung des geistigen Zustandes verhindert werden konnte. Die bis dahin verträgliche Frau veränderte sich zum »Bösen«, so daß schließlich die Tochter und der Schwiegersohn in Verzweiflung gerieten. Die Kranke schimpfte bei jeder Gelegenheit, man stehle ihr alles, man plage sie, man halte sie wie in einem »Marderloch«. Sie irrte nachts im Haus herum, warf ihre Sachen durcheinander und wurde gewalttätig, soweit es ihre Schwerfälligkeit zuließ. Als ich in dieser Zeit einmal zum Hausbesuch kam, wies sie mich ab, sie lasse keinen Fremden rein. Mein Hinweis, daß ich ihr Arzt sei, änderte nichts; als ich am nächsten Tag in Gegenwart der Tochter die Spritze gab, wehrte sie sich heftig und weinte. Ich verordnete Barium carbonicum D12, tgl. 1 Tabl. Der Erfolg war schlagartig: Nach Angaben der Tochter war sie von der ersten Tablette ab »wie ein Engel«. Im weiteren Verlauf traten morgens und abends jeweils für eine Stunde mäßige Störungen auf, sie jammerte und meinte, sie sei eine verlassene Person. Ich riet daraufhin, morgens und abends 1 Tablette zu geben. Der Zustand ist seit über zwei Jahren unverändert gut, selbstverständlich ohne daß sich der ursprüngliche Grundzustand geändert hat.

▶ Arsenicum album (Ars., arsenige Säure)

Dieses Arzneimittel ist wichtig bei tiefgreifenden, langandauernden, verzehrenden (destruktiven) Leiden.

Von der körperlichen Seite her gehört zu Arsen eine Verminderung des Stoffwechsels (bes. des Sauerstoffwechsels), später eine fortschreitende Schwächung mit Abmagerung (Jod). Seelisch entspricht dieser Störung eine Erschütterung des inneren Gleichgewichts. Der Kranke ist empfindlich gegen jede Art der Unordnung bis zur Pedanterie. Folgende Störungen treten ein:

- *Soziale Ordnungsstörung:* Kinder haben große Angst bei Nacht oder wenn sie allein im Zimmer sind; sie schmiegen sich an Erwachsene an und finden dadurch (relative) Ruhe. Erwachsene Kranke meinen, daß sie sterben müssen, wenn man sie allein läßt. Einerseits sind die Kranken herzlich, freundlich, gesprächig; andererseits halten sie sich vorsichtig zurück, sind mißtrauisch, widerspenstig, voller Tadel gegen sich und andere, eigensinnig, hartherzig und treulos. Trösten verschlimmert. Sie bilden sich ein, Bekannnte beleidigt zu haben und wollen ihnen nicht begegnen. Sie haben Angst vor Einbrechern, Dieben und Gespenstern.
- *Körperliche Störungen:* Überempfindlichkeit aller Sinne. Das kleinste Geräusch oder ein Licht wird als Störung empfunden. Schmerzen sind unerträglich, machen fast wahnsinnig. Alles ist zu stark und greift zu sehr an. Verschlimmerung tritt nachts, besonders nach Mitternacht, auf. Nächtliche Hustenanfälle sind verbunden mit Erstickungsgefühl, Zusammenschnürungsgefühl am Brustkorb. Herzklopfen (Angst) wird begleitet von Krampfgefühl und Schwäche.
- *Geistige Störungen:* Der Kranke läßt sich von jeder Sorge übermäßig beeindrucken. Er ist zu schwach, um die auf ihn eindrängenden Gedanken fernzuhalten. Er arbeitet sorgfältig und gewissenhaft bis zur Ängstlichkeit.
- *Gefühlsstörungen* (Emotionen): Der Betroffene hat Todesangst und glaubt sterben zu müssen, niemand könne ihm helfen. Ärgert sich über jede Kleinigkeit und kann nicht aufhören, über die Fehler der andern zu reden. Mit pedantischer Pünktlichkeit ärgert er sich über alles, was nicht in Ordnung ist. Nicht selten liegt auch eine überindividuelle Angst vor um die Zukunft des Lebens überhaupt.

- *Religiöse Verzweiflung:* Der Kranke glaubt, er habe nicht genug getan und seine Pflicht nicht erfüllt. Meint, ein Verbrechen begangen zu haben. Dieses gestörte Verhältnis zur Mitte ist zweigesichtig: Einerseits ist der Mensch verzweifelt, weil er auch mit der äußersten Anstrengung die gestörte Ordnung nicht wiederherstellen kann, andererseits fühlt er sich schuldig und macht sich die bittersten Vorwürfe.

Die Folge dieser Erregung in allen Bereichen ist die Unruhe, eine extreme Ruhelosigkeit, die ihn zu einer mehr oder weniger ziellosen Tätigkeit treibt. Arsenicum duldet es an keiner Stelle, der Kranke dreht sich im Bett hin und her, will, wenn seine eigenen Kräfte nicht mehr genügen, dauernd umgelegt werden. Da Bewegung und Aufsitzen erleichtert, läßt er sich hochbetten; sitzt er selbst auf, so sinkt er bald vor Erschöpfung um, dann wird er von seinen Schmerzen, z.B. Kopfschmerzen, wieder zum Aufsitzen gezwungen.

Dieser Antrieb, »die Ordnung« zu finden oder wiederherzustellen, ist unendlich, aber die menschlichen Kräfte sind begrenzt. So wird dieser Kranke in der Erschöpfung enden. Das »Gewissenhafte« hindert ihn, voreilig aufzugeben, so oft er auch von Selbstmordgedanken befallen wird. »Bis zum Schluß versucht er, in pedantischer Ordnung sein Leben zu verteidigen, bis der ewig Ruhelose schließlich im Tod seine Ruhe findet« *(Dorcsi).* Seine Verzweiflung geht dann in Gleichgültigkeit über, die Angst in dumpfe Hoffnungslosigkeit und das ruhelose Denken in Bewußtlosigkeit. Der abgezehrte erschöpfte Mensch erlischt.

Mit dem Verständnis von Arsen sollte man jedoch nicht beim privaten Leiden und Sterben stehenbleiben. Arsen ist *auch,* wenigstens in seiner höchsten Form, empfindlich für die höchste Art der Unordnung, nämlich für das gestörte Verhältnis zum Ganzen. Dies ist die größte Gefahr des Lebens, seine äußerste Herausforderung und damit auch seine höchste Möglichkeit. Das gestörte Verhältnis des Menschen zur ewigen Ordnung kommt nicht »von selbst« in Ordnung. Auch für diese Heilung muß sich der einzelne einsetzen.

Die menschliche Ernährung und ihre Störungen

Ernährung

Leibliche und geistige Ernährung lassen sich zwar theoretisch trennen, ihre gestörte Wirklichkeit muß man zusammen empfinden *(vgl. S. 93)*. Sprachlich und wirklich gehören *ernähren* und *genesen* zusammen: Wird ein hungriger Mensch ernährt, so erhält er das Fehlende, er genest, d.h., er wird gesund. Nahrung im weitesten Sinn entspricht den lebensnotwendigen Bedürfnissen des Menschen. Werden sie nicht erfüllt so hungert er, – er darbt und verdirbt. Das ist die Grundbedeutung von dürfen- bedürfen- darben: es fehlt, es mangelt an etwas.

Das natürliche Bedürfnis

Durch Essen allein kann der Mensch nicht gesund bleiben, wenn er sich nicht auch anstrengt *(Hippokrates)*. Hier wird der Grundzusammenhang von Nehmen und Geben, Fordern und Leisten, Anspruch (»Recht«) und Pflicht ausgesprochen. Im individuellen Leben folgen einander Arbeit und Ruhe (Erholung), Ausgabe und Einnahme. Im Blick auf meine Teilhabe am Leben sehe ich *meine* Bedürfnisse durch andere Lebensleistungen gestillt; entsprechend bin ich *meine* Leistung dem Leben schuldig, und ich muß diese Leistung nach den Bedürfnissen, Forderungen und Weisungen des Lebens richten.

Die leibliche Ernährung

Die leibliche Ernährung ist das wichtigste Bedürfnis des jungen Lebens. So prüft das Kleinkind die Welt mit seiner Zunge. Aber diese leiblichen Bedürfnisse (Sauerstoff, Wasser, Nahrung, Wärme/Kleidung, Wohnung, Schutz und Pflege) sollen nicht den Blick trüben für das seelische Bedürfnis nach menschlicher Beziehung und Distanz: Die Art, wie die leiblichen Bedürfnisse gestillt werden, zeigt den Umgang mit den seelischen Bedürfnissen.

Wenn die Zeit für Nahrungsaufnahme gekommen ist, so ist der Mensch in einer allgemeinen »Stimmung des Hungers« *(v. Uexküll)*: Der ganze Mensch ist auf Ernährung eingestellt; ihm fehlt etwas, er braucht etwas.

Daß der »Hunger der beste Koch« ist und der »Teufel in der Not Fliegen frißt«, besagt nicht, daß der Eintopf aus dem Blechnapf die beste menschliche Ernährung ist. Die individuellen Bedürfnisse sind verschieden und nicht durch Zuteilung und Fertigpackungen zu befriedigen. Was das Individuum braucht, ist weder zu berechnen noch durch eine Diätanweisung zu bestimmen. Ich bin sicher, daß nur der einzelne empfinden kann, was er hier und jetzt braucht; für diese Eigenleistung gibt es keinen Ersatz. Ich möchte Ihnen Mut zum eigenen Geschmack machen - der eigene Geschmack ist der Anfang der eigenen Meinung, des eigenen Urteils und schließlich der eigenen Entscheidung. Sie müssen warten, bis das eigene Bedürfnis da ist, sie müssen nicht vorher befriedigen wollen, was vielleicht einmal Bedürfnis wird *(Kierkegaard).*

Sie sollen Bedürfnisse nicht unterdrücken und verdrängen. Das Bewußtsein muß die Bedürfnisse ansehen, anhören und *verstehen;* wenn es ein Bedürfnis als recht anerkennt, dann ist es ihm seine volle Mithilfe schuldig. Wenn das Bewußtsein aber nach bestem Wissen und Gewissen zum Ergebnis kommt, daß die Ansprüche dem Bereich der überflüssigen Gelüste und Begierden angehören, dann kann es nicht zustimmen.

Die natürliche Säuglingsernährung. Wenn der Säugling schreit, zeigt er meist an, daß er etwas braucht. Er schreit aus Hunger, Durst oder hat das Bedürfnis nach der mütterlichen Nähe und Wärme (Hautkontakt) - man denke an das Verhalten von Tierjungen. Die wirkliche, nährende Mutter wird das Kind an die Brust nehmen, wenn es Hunger hat. Der Säugling erfüllt den Sinn der mütterlichen Brust, indem er seine Nahrung unmittelbar von der Quelle nimmt. Im Verhältnis dazu befindet sich die künstliche Fütterung noch im Vor-Versuchsstadium. Die Milch der eigenen Mutter ist einmalig zusammengesetzt - viele Säuglinge unterscheiden die eigene Milch im Geruch von der fremden Milch. Das Saugen ist mit einer angemessenen Anstrengung verbunden - in Übereinstimmung mit der hippokratischen Erkenntnis, daß der Mensch durch Essen allein nicht gesund bleiben kann, wenn er sich nicht anstrengt. Da der Säugling nicht von der Milch allein lebt, werden seine übrigen leiblichen, sozialen, geistigen und seelischen Bedürfnisse mitgestillt. In Berührung mit der mütterlichen Haut, in der Nähe des vertrauten Herzschlages, hört er die mütterliche Stimme und legt den Grundstein für seine eigene Sprachentwicklung (Muttersprache).

Ernährungsvorschriften. In der menschlichen Ernährung spielen Verbote und Gebote eine große Rolle. Diese Vorschriften entspringen dem menschlichen Willen. Die unwillkürlichen Tätigkeiten des Körpers - Verdauung, Ausscheidung, Atmung und Kreislauf - unterstehen dem Willen *nicht.* »Grundsätzlich kann unser Ich mit seinen Absichten und seinem Willen Abläufe nicht in Gang setzen, nicht regeln oder verhindern, die der Sphäre des Es angehören« *(Heyer).* Der Wille hat am Anfang und am Ende des Verdauungskanals mitzureden: Er entscheidet, was ich aufnehme, kaue, schlucke und wann ich entleere. Ich kann auch noch eine begrenzte Zeit den Atem anhalten, damit stehe ich aber schon an der Grenze des Willens. Alles übrige geht *von selbst.*

Natürlich soll der Mensch seinen Willen haben, er muß nur wissen, wozu er dient. Der Wille ist den andern Mächten nicht übergeordnet, sondern gleichgestellt. Er muß sich nicht zwingen lassen, wenn er andere nicht zwingt. Und er sollte sich nicht zu etwas zwingen lassen, was ihm gegen Geschmack und Gewissen geht, auch nicht beim Essen.

Die wissenschaftlich exakte Ernährung. Die Aufgabe der Ernährungswissenschaft ist, Menge, Zusammensetzung und Energiewert (Joule) der Nahrungsmittel zu untersuchen und den Weg dieser Stoffe durch den menschlichen Körper von der Aufnahme bis zur Ausscheidung der Endprodukte zu verfolgen, wobei genaue Zahlenwerte wichtig sind. Diese Zahlenwerte ermöglichen wissenschaftlich fundierte Diätanweisungen, die zu umfassenden Ernährungsprogrammen ausgebaut werden können. Das wissenschaftlich-technische Endziel ist in seinen Umrissen erkennbar: Der Einzelmensch muß von Jugend an einer einheitlichen und systematischen Programmierung unterliegen. Der Mensch muß angehalten werden, seinen Willen auf die Erlernung und Ausführung des Lehrprogramms zu richten. Diesem wissenschaftlichen Programm steht *ein* wesentliches Hindernis entgegen: Die Natur ist nicht technisch-wissenschaftlichen Ursprungs. Sie ist spontan (»zufällig«) entstanden, ihr Grundprinzip ist die Eigenständigkeit.

Der eigene Geschmack. Der Geschmack ist das ursprünglichste Sinnesorgan des Lebendigen, mit dem es die passende Nahrung prüft. Beim Menschen liegen die Geschmacksbecher am Zungengrund: Was geschluckt werden soll, muß hier vorbei. Vorher werden die Speisen durch das Kauen nicht nur zerkleinert, sondern vor allem »erschlossen«: Der Geschmack prüft die Qualität der Speisen. Das tut sonst kein Sinnesorgan. Er untersucht die Nahrung nicht wissenschaftlich, sondern nur bezogen auf die Bedürfnisse: Ist die Nahrung geeignet, die echten Bedürfnisse des Menschen zu befriedigen? Die Aufgabe des Geschmacks, die Nahrung auszulesen, ist durch Diätanweisungen nicht zu ersetzen. Sinngemäß haben die Alten den Begriff »diaita« nicht als Diätanweisung, sondern als Lebensordnung verstanden:

»Als Maß aber, auf das man sich beziehen könnte, um Sicherheit über die Quantität und Qualität der Speisen zu bekommen, wird man weder eine Zahl noch ein Gewicht finden, sondern nur das Gefühl des Körpers« *(Hippokrates).*

Das erste Gebot der Ernährung lautet: Es soll Dir schmecken. Du sollst den Geschmack, Deinen eigenen und den Deines Nächsten, nicht zwingen!

Man muß bedenken, daß das Gefühl des Körpers durch vielerlei Umstände gestört sein kann, z.B. durch Reklame und Aufmachung, durch Gewohnheit der Gedanken, einseitige Vorstellungen von der rechten und falschen Nahrung, auch durch religiöse oder ärztliche Vorschriften. Bei allen äußeren Einschränkungen muß man den eigenen Geschmack entscheiden lassen, was man ißt oder nicht ißt. Wo der eigene Geschmack ungenügend ist, muß man ihn um so gewissenhafter beachten, besonders in der Krankheit.

Die Achtung vor dem, was das Leben für seine Bedürfnisse leistet, sollte den Menschen verpflichten, mit der möglichen Nahrung sorgfältig umzugehen. Wer die Nahrung verdirbt, schädigt das Leben.

Ernährungsstörungen und ihre Ursachen

Die falschen Bedürfnisse

Der größte Teil der Ernährung und des Stoffwechsels ist dem Bewußtsein und dem Willen entzogen, an der Nahrungsaufnahme (kauen, schmecken, schlukken) sind jedoch beide beteiligt. Der Geist muß mithelfen, die Lebensbedürfnisse von Beimengungen zu reinigen und damit die *eigentliche* Nahrung vom Überflüssigen und Schädlichen trennen. Man sollte sich mit der Befriedigung der Bedürfnisse Zeit zu lassen, bis man deutlich sieht, was man wirklich braucht. Erfüllt man sie wahllos oder läßt Widersprüche ungeklärt, so entsteht Überfluß oder Mangel, und damit wird die zukünftige Ernährungsstörung bewirkt. Wenn die Bedürfnisse nicht mehr in das Ganze eingeordnet sind, sondern einzeln hervortreten und das Bewußtsein von ihrer Einseitigkeit ergriffen wird, dient dieses ihnen als Verstärker: Das Bewußtsein, das sich nicht mehr der Gleichordnung verpflichtet fühlt, verschlimmert die Unordnung.

Essen ist zuerst eine Gewohnheit. Man kann davon ausgehen, daß in den individuellen Eßsitten sich die eigenen und gemeinsamen Erfahrungen versammelt haben, die mit der Ernährung bisher gemacht wurden. Aber die Gewohnheit kann auch Irrtümer enthalten, dann befriedigt die Nahrung nicht: Entweder fehlen notwendige Stoffe, oder sie wird mehr oder weniger zum sozialen Zwang.

Wird der Zwang, der in Sitte und Brauch steckt, durch Vorschriften oder gar durch Gebote und Verbote vervollständigt, so führt er leicht zur »Wirkungsumkehr«: Ein Kind, das auf den häuslichen Eßzwang mit völliger Abwehr antwortete und in der Klinik durch die übliche Nichtbeachtung sich nicht umstimmen ließ, wurde in die Speisekammer geführt. Dort wurden ihm alle Leckerbissen gezeigt, die vorhanden waren. Es wurde ihm strengstens verboten, etwas davon zu essen, und dann wurde es allein gelassen. Da aß es.

Man kann den verminderten Appetit künstlich reizen, wie man vermehrten »zügeln« kann, z.B. durch die sogenannten Appetitzügler. Damit wird allerdings die Störung nicht behoben, sondern vorübergehend verdeckt, in Wirklichkeit verdrängt und verstärkt.

Die falsche Wahl

Ob nun Gewohnheit, falsche Vorschriften oder veränderte Nahrung den Menschen dazu führt, ungenügende oder minderwertige Nahrung zu wählen: Die notwendigen Bedürfnisse werden nicht erfüllt, der Mensch wird nicht satt und die Befriedigung der überflüssigen und abwegigen Bedürfnisse stört das Ganze. Werden diese Störungen bewußt, so ist das ein Zeichen, daß der weitere Verlauf noch durch die menschliche Aufmerksamkeit mitbestimmt werden kann. Wir müssen aufmerken und die Krankheitszeichen genau beachten. Sie weisen auf ihre Herkunft und auf die Zukunft. Auch hier können wir wählen: Verstehen wir die Beschwerden als Hinweis auf unser Fehlverhalten, so werden wir unser Verhalten berichtigen. Einfacher ist es, wenn man anderen die Schuld gibt, oder die Ursache in organischen Veränderungen sucht. Da ist dann die »chronische Magenschleimhautentzündung« schuldig, und die moderne Medizin soll dafür sorgen, daß man wieder »alles« vertragen und den falschen Weg fortsetzen kann.

Wer gegen die Krankheitszeichen taub ist oder sich künstlich betäubt, der läßt sich durch sie nicht belehren und lebt nach der Methode der Unterdrükkung (Suppression). Eine andere Methode ist das, was natürlicherweise fehlt, künstlich zu ersetzen (Substitution). Für den einzelnen Egoismus mag der Ersatz eine vorübergehende Erleichterung sein. Der Ersatz leistet jedoch auf die Dauer nicht vollwertig, was das Lebendige braucht. Er sollte *dem* Platz machen, was die *ganze* Leistung vollbringt. Für die vollwertige Ernährung gibt es keinen Ersatz.

An Beispielen aus dem täglichen Leben möchte ich Ihnen zeigen, welche Macht falsche Vorstellungen, falscher Wille, falsche Gewohnheiten und falscher Geschmack haben.

Essenszwang. Einem Kind wird zum Abendessen von der Mutter ein Butterbrot angeboten, das die Kleine ablehnt. Darauf nimmt der Vater stillschweigend das Brot und ißt es. Die Kleine mißt ihn von oben bis unten und bittet ihn nach einer Minute in kindlicher Unbefangenheit um ein Butterbrot. Sie ißt an dem Abend noch drei Brote. Dem Kind wurde das Brot aufgedrängt; es wehrte ab. Nachdem der Druck weg war, hatte es die Freiheit, selber zu wählen. Bei einem zehnjährigen Jungen war die Mutter überzeugt, er würde acht Tage nichts essen, wenn sie ihn nicht zwingen würde. Ich habe ihr zu einem praktischen Versuch geraten, aber sie fürchtete, er würde verhungern. Einige Zeit später erkrankte der Junge an einer Nierenentzündung nach Scharlach. Ich wurde vormittags um zehn Uhr gerufen und verordnete nach der *Vollhard*schen Anweisung strenges Fasten; nur salzlose Flüssigkeit war erlaubt. Der kleine Mann hatte 40 Grad Fieber und »nur Durst«. Um 15 Uhr rief mich die Mutter an und berichtete, das Kind habe riesigen Hunger. Nach fünf Stunden Eßverbot war die Appetitlosigkeit beendet.

Die nächste Stufe ist das Erbrechen, wenn jemand zum Essen gezwungen wird. Das Erbrechen kann auch der körperliche Ausdruck sein für einen seelischen Ekel. In solchem Fall hat der Mensch etwas Geistig-Seelisches schlukken müssen, was er nicht »verdauen« kann. Manchmal verträgt der Magen auch die aufgenommenen Speisen nicht; so bei einer Frau, die mehrfach nach dem Genuß von gerührtem Kuchen, der ihr an sich schmeckte, schweren Brechdurchfall bekam. Sie war schließlich entschlossen, keinen solchen Kuchen mehr zu essen, versuchte es jedoch auf Zuraten ihrer Tischgenossen noch dreimal. Jedesmal fühlte sie sich tagelang elend, so daß sie weitere Versuche unterließ.

Essensverbot. Die Gegenseite des Aufzwingens ist das Verbot. Das bekannteste Beispiel dieser Art ist der Apfel im Paradies. Im allgemeinen braucht der Mensch nur davon überzeugt sein, daß man ihm etwas wegnehmen, verbieten oder vorenthalten wolle, so wird sein Verlangen unüberwindlich.

Eine Mutter verbot ihrem kleinen Jungen, »Spüli« zu trinken. In einem unbewachten Augenblick ergriff er die Flasche und trank in größter Hast, soviel er schlucken konnte. Obwohl die anschließende Magenspülung bestimmt keine angenehme Erinnerung hinterließ, wiederholte der Junge diesen Unsinn noch einmal. Ich habe heute als Arzt Hemmungen, irgend etwas zu verbieten, weil ich normalerweise damit rechnen muß, daß ich die falsche Verhaltensweise geradezu hervorrufe.

In Schwaben ist es üblich, den Kindern das Essen von grünen Stachelbeeren zu verbieten. Ohne das Verbot würden die Kinder vermutlich Stachelbeeren versuchen (= schmecken) und feststellen, daß sie sauer sind und sie ausspucken. Wegen des Verbotes essen sie heimlich und hastig möglichst viel in sich hinein und erbrechen nachts. Vor allem Kinder, aber auch Schwangere und Kranke haben manchmal einen ausgesprochenen Instinkt für das Richtige. Von Katzen ist bekannt, daß sie bei freier Wahl die Frischmilch der gekochten vorziehen. Ein Junge, von dem die Mutter sagte, er möge gar nichts essen, antwortete auf meine entsprechende Frage: »Doch, Milch mag ich«. Darauf die Mutter: »Wenn die Milch auch nur eine kleine Haut hat, also denaturiert ist, so trinkt er sie nicht!« Ein Mädchen, das regelmäßig nach dem Essen Bauchschmerzen bekam, wurde von mir gefragt: »Magst Du das Essen?« Antwort: »Selbstverständlich, meine Mutti kocht wunderbar.« Wenn der Kopf sich der Propaganda anschließt, wehrt sich der Magen.

Oft hat der Mensch ein unklares Bedürfnis und die Werbung verspricht ihm Sättigung; der Mensch greift in der Hoffnung zu, endlich satt zu werden. Eine junge Frau mit 130 kg Gewicht sagt mir: »Ich hungere ununterbrochen, wenn ich mich satt essen würde, wäre ich in einem Monat geplatzt.« Ich rate ihr zu Weizenschrot, eine halbe Tasse vor jedem Essen, sonst kann sie essen, soviel sie mag. Sie nahm regelmäßig ab, und auf die Frage nach dem Hunger kam die Antwort: »Wenn ich Weizenschrot esse, habe ich natürlich den ganzen Morgen keinen Hunger mehr.« Als sie um die Weihnachtszeit Gebäck aß, stieg das Gewicht in 14 Tagen um 3 kg an.

Ich wiederhole den Satz von *Alkmaion:* Gleichstellung der Kräfte erhält die Gesundheit, Vorherrschaft einer der Kräfte bewirkt Krankheit. Der eigene Geschmack ist gleichberechtigt.

Überernährung. Ich will in diesem Zusammenhang auf die schwerste Krankheit der westlichen Welt eingehen, den »Wohlstandsnotstand«. Das ist nicht nur ein öffentliches Ärgernis, weil große Teile der übrigen Welt hungern und verhungern, sondern wegen der Folgen der »Überernährung« (Zuckerkrankheit, Gicht, Bluthochdruck, Herz- und Hirnarterienverkalkung mit Schlaganfall und Herzinfarkt, Steine in Galle und Nieren, Fettleber, vorzeitige Gelenkveränderungen). Für die exakten Wissenschaftler ist das Problem einfach: Zuviel Kalorien. Es ist außer Zweifel, daß die Hunger- und Fastenkur das Gewicht in berechenbarer Zeit auf die normale Höhe zurückbringt. Fragt man weiter: *Warum* ißt dieser Mensch zuviel, warum begeht er die Dummheit, 20 oder mehr Kilo freiwillig mit sich herumzuschleppen?, so hört man bei den Fachleuten die Antwort: Die haben einen »guten« Appetit und erliegen mehr als andere Menschen dem Schaufenster. Der Anblick der leckeren Sachen löst bei ihnen ein unwiderstehliches Verlangen nach Essen aus. Sie sind »außengelenkt«, haben ein ungenügendes eigenes Maß und wissen also nicht, wann es genug ist. Die Maßhalte-Appelle haben außerdem die umgekehrte Wirkung.

Warum ist der Appetit dieser Menschen von außen so leicht erregbar? Sie sind in einem relativen Hungerzustand: Sie haben von den meisten Nährstoffen zuviel. Diese liegen als Fett auf Vorrat, aber es fehlen einige notwendige Stoffe, und der unbewußte Hunger bezieht sich auf das, was fehlt.
Mein Rat lautet also: Iß das Richtige! Die Stoffe, die der Frau mit ihren 130 kg fehlten, waren offensichtlich im Weizenschrot vorhanden. Sobald sie Weizenschrot aß, war sie satt. Vollkornbrot ist das, was man früher als das tägliche Brot bezeichnete. Ich glaube nicht, daß man den Geschmack »machen« kann, für diesen ist jeder selbst verantwortlich.

> Alle natürlichen Antriebe muß man von selbst kommen lassen, ohne sie künstlich anzutreiben oder zu bremsen. Das Bewußtsein muß die ganze Wirklichkeit ansehen, anhören und ausgleichen.

▶ **Argentum nitricum (Arg-n.)**

Wenn jemand über Magen-Darm-Beschwerden klagt, sucht man gewöhnlich nach organischen Fehlfunktionen. So z.B., wenn Bauchschmerzen rechts oben zwei Stunden nach dem Essen auftreten. Die Schmerzen werden durch Essen besser, treten aber später oder nachts erneut auf. Inzwischen weiß auch der Nichtfachmann, daß die »Ursache« der Schmerzen vermutlich ein Zwölffingerdarmgeschwür ist. Das Geschwür wird durch Röntgenuntersuchungen oder Magenspiegelung festgestellt und mit dem entsprechenden Diätzettel und dem jeweils gültigen Mittel der Wahl behandelt. Nach vier Wochen kommt die Nachkontrolle. Ist das Geschwür nicht geheilt, so muß eine strenge Kur folgen, und wenn alles nichts hilft, die Operation. Ist bei der Fachuntersuchung organisch »nichts« festzustellen, so werden die Beschwerden als nervös angesehen, die eigentlich den Organtherapeuten nichts angehen. Das ist wissenschaftliche Pünktlichkeit und Qualitätskontrolle.

Der homöopathische Arzt ist zu einer andern Art von Genauigkeit zusätzlich verpflichtet: Er muß noch vor dem Magengeschwür den ganzen kranken Menschen ins Auge fassen. Wissenschaftliche Pünktlichkeit ist die Genauigkeit an *einem* Punkt, da aber das sehr komplexe System Mensch aus einer fast unendlichen Zahl von Punkten besteht, wird eine wissenschaftliche Pünktlichkeit hier zur Unmöglichkeit *(Dörner)*. Sie muß durch die *wesentliche* Genauigkeit gegenüber dem Ganzen ergänzt werden. Die ewige Frage von *Dorcsi* lautet: Was ist das für ein Mensch, der diese Beschwerden so erlebt? Da muß man mit allen Sinnen wach sein und auch mit dem Herzen hören. Einen anderen Weg, das »Ganze« (die Gesamtheit aller Krankheitserscheinungen) zu begreifen, sehe ich nicht.

Das kranke Individium selbst muß sich bemühen, seine Symptome im Geiste dieser Genauigkeit mitzuteilen. Dann muß man wirklich sein ganzes Bewußtsein versammeln. Für die Arzneimittelfindung kommt es auf die Symptome an, die dieser kranke Mensch hier und jetzt hat. Hören wir ihn also *ganz* an. Das ist ein »nervöser« Mensch, der schon länger an starken Blähungen leidet, die sich durch ein schwieriges und lautes Aufstoßen kaum erleichtern; er hat starkes Verlangen nach süß, das die Völle im Bauch bis zum Zerplatzen steigert und auch Durchfälle hervorruft. Wenn er etwas Wichtiges vorhat, kommt es mehrmals zu Durchfall. Er gerät leicht in Hetze, und sieht über seine Schwierigkeiten nicht mehr hinaus. Am liebsten würde er aufgeben. Auf weitere Fragen gibt er an, daß er viel Kopfschmerz mit Vergrößerungsgefühl und Erbrechen hat, daß ihm schwindelig wird, wenn er von hohen Orten herabsieht, er dann zittrig und unsicher auf den Beinen sei und von der Angst erfaßt werde, hinabzustürzen.

Diesem Mann half Argentum nitricum LMVL. Auch sein Magengeschwür heilte.

Auch Phosphor, Conium, Magn. mur., Anacardium haben den erwähnten Oberbauchschmerz etwa zwei Stunden nach dem Essen, der sich durch Nahrungsaufnahme bessert. Für den homöopathischen Arzt ist das Entscheidende nicht das Magengeschwür, sondern die Gesamtheit der Symptome, selbst wenn darin die Magenbeschwerden gar nicht oder nur am Rand vorkommen.

Symptome der falschen Nahrungsauswahl

Die naturwissenschaftlich Orientierten meinen, man könne die Abweichung vom Nahrungsbedarf in Zahlen angeben (Diätanweisung). Ich sehe darin nur ein grobes Maß: Die Feinheiten muß der einzelne nach *seinem* Geschmack bestimmen. Je genauer der Mensch selbst ausliest, was er braucht und nicht braucht, desto besser ist er ernährt. Man sollte dem Menschen nicht beibringen wollen, was er essen soll; er sollte es sich auch nicht beibringen lassen.

Das gestörte Hungergefühl. Ist es Zeit für das nächste Essen, so bekommt der Mensch Hunger.

Beispiele für den *kranken* Hunger: hat dauernd Hunger (Natr-m., Merc.), kann trotzdem nicht essen (Chin., Sulf.); gleich satt (Chin., Lyc.); der fehlende Hunger kommt nach dem ersten Bissen (Chin., Calc.); hat Hunger, aber keinen Appetit (Ars., Natr-m., Nux-v., Rhus-t., Sulf., Phos.); Heißhunger nachts (Chin., Phos., Ign.); Abmagerung trotz Heißhunger (Calc., Jod, Natr-m., Petr., Phos., Sulf.); Hunger nach dem Essen (Lyc., Phos.); Kopfschmerzen bei Hunger (Phos.).

Sie haben Ihre eigenen Hungerstörungen, *die* müssen Sie erkennen und beschreiben.

Das kranke Verlangen. Es ist vom natürlichen Verlangen nicht immer einfach zu unterscheiden, aber manchmal hat ein Mensch doch ein deutliches Gefühl für das Merkwürdige oder Abwegige seiner Bedürfnisse; oder er weiß um die bösen Folgen.

Beispiele: Verlangen nach Alkohol (Ars., Lach., Nux-v., Sulf.); nach Salz (Arg-n., Nat-m., Phos., Veratr.); nach Unverdaulichem (Calc.), nach Eis (Calc., Lach.), nach heißen oder kalten Speisen und Getränken, nach Kaffee (Ars., Bry., Nux-v., Puls., Sulf.), nach saurem oder unreifem Obst (Verat.).

Krankhafte Abneigungen. Sie bedeuten, daß einem das Rechte nicht schmeckt und man nach dem Schädlichen verlangt: Abneigung gegen Milch (Bry., Calc., Carb-v., Phos., Puls., Sep., Sil., Sulf.), gegen Muttermilch (Sil., Merc.), gegen Brot (Chin., Nat-m., Nux-v., Phos., Puls., Rhus-t., Sep., Sulf.), – gegen Fett (Chin., Puls.), gegen Mehlspeisen (Ars., Phos.), gegen Fleisch

(Calc., Chin., Graph., Nux-v., Puls., Sep., Sil., Sulf.), - schon beim Drandenken (Graph.); gegen Obst (Chin., Puls.). Die Umstellung der falschen Abneigungen ist schwer.

Unverträglichkeit. Es ist nicht immer leicht, die falsche Verträglichkeit/Unverträglichkeit von der natürlichen zu unterscheiden. Wird Alkohol nicht vertragen (Ars., Lach., Nux-v., Sulf.), so kann man dieses Kunstprodukt meiden. Schwerwiegend ist die deutliche Unverträglichkeit natürlicher Stoffe: Milch (Calc., Chin., Sep., Sulf.), Fett (Carb-v., Ferr., Graph., Puls.), Brot (Bry., Puls.), Butter (Carb-v., Puls.) Obst (Ars., Bry., Puls., Verat.).

Bei Unverträglichkeit muß man immer bedenken, daß die Nahrung durch Verpackung, Lagerung und Zubereitung verändert und verdorben sein kann (verdorbenes Fleisch: Ars.), daß man vielleicht zuviel gegessen hat (Ant-c., Nux-v., Puls.) oder daß sich die Stoffe nicht miteinander vertragen (das gilt auch für die vielen verschiedenen Arzneien, die heute gleichzeitig eingenommen werden.

Die Unverträglichkeit fordert das Bewußtsein auf, sich mit dieser Frage zu beschäftigen (Einstellung überprüfen).

Wie erlebt der Mensch die Unverträglichkeit? Ob man merkt, daß ein Nahrungsmittel z.B. nicht mehr frisch schmeckt, hängt von der Einstellung ab. Wer nichts verderben lassen will, schluckt auch dann noch, wenn man schon Ekel empfindet: Im Magen kommt ein Unbehagen auf, Schwere, Kälte oder brennende Hitze, das Gefühl als liege ein Stein im Magen (Ars., Bar-c., Bry., Calc-c., Nux-v., Puls., Rhus-t.). Dies steigert sich zu Völle, Aufblähung, Aufstoßen, Übelkeit, Würgen, Erbrechen, begleitet von Elendsgefühl, kaltem Schweiß und Schwäche bis zum Schwinden des Bewußtseins.

Hat man nach bestem Geschmack unter Mitwirkung von Verstand und Erfahrung Nahrung oder Arznei ausgewählt, und sie bekommt einem *nicht,* dann muß man sie meiden und seinen Geschmack an die erfahrene Wirklichkeit angleichen.

Je weniger Überflüssiges man zu sich nimmt, um so weniger muß man ausscheiden und um so kleiner ist die Schwierigkeit, das Zuträgliche vom Unzuträglichen zu unterscheiden.

Anstatt zu verstehen, daß die Natur die Speisen nicht verträgt, kann man natürlich auch den Spieß umdrehen: Man kann die Organe zur »Räson« bringen. Viele Kranke erwarten und verlangen vom Arzt, daß er dafür sorge, daß sie »alles« vertragen können, wie die andern. Sie wollen, daß Magen und Darm annehmen, was sie essen. Der Arzt hat lästige Symptome zu beseitigen. Die Natur läßt sich einige Zeit unterdrücken, und der Mensch meint, die Natur habe sich gefügt, wenn sie eine Zeitlang schweigt. Wenn man aber die Warnungen nicht mehr hören und verstehen will, wird man taub. Das ist nur anfangs ein Vor-Teil.

Die Behandlung der Ernährungsstörungen

Sobald Magen-Darm-Störungen auftreten, muß man aufmerken, verstehen und bereit sein, seine falsche Verhaltensweise zu ändern. Solange der Mensch die Krankheitszeichen nicht als eine Botschaft an sein Bewußtsein versteht, die er wahrnehmen, verstehen und beantworten muß, gibt es für ihn keinen Fortschritt. Im allgemeinen werden die Zeichen umgekehrt verstanden: Magen, Darm oder Leber sind gestört und erfordern Untersuchungen. Der Arzt soll die Organveränderungen beseitigen.

In den Anfangsstadien der Ernährungsstörung wird der Arzt vielleicht »nichts Organisches« finden, er wird Sie beruhigen und sagen, es sei alles in Ordnung. Nun wird es Ihnen nichts nützen, wenn Sie von einem Arzt zum andern laufen, in der Einstellung, da *müsse* sich doch »etwas« finden lassen. Natürlich hat die Magen-Darm-Störung meist einen auffindbaren Grund, aber dieser muß nicht Ihr Magen sein.

Wenn Magen oder Darm oder sonst irgendein Organ sich mit Krankheitszeichen an Sie wendet, dann sollten Sie sich nicht beruhigen, ehe Sie verstanden haben, was das heißen soll. Die Organsprache ist keine Geheimsprache und keine Wissenschaft für sich.

Die Umstellung der Ernährung

Es gibt auch heute noch viele unbekannte, ganz einfache Zusammenhänge, die dem einseitig festgelegten Bewußtsein verborgen sind.

Die moderne Nahrung ist zwar mengen- und kalorienmäßig reichlich, aber sie verliert durch den modernen landwirtschaftlichen Mechanismus, durch Zwischenhandel, Zubereitung und Vorratshaltung einen Teil der lebenswichtigen Stoffe. Sie wird außerdem geschmacklich verändert durch die Kochkunst. Wer nicht satt wird und wem die Nahrung nicht bekommt, der ißt nicht zu wenig, sondern falsch.

Praktisches Beispiel: Geschmacksverwandlung

Die Verwandlung des Geschmacks erfährt der Mensch meist erst in der äußersten Not. Eine 30 Jahre alte Frau war nach Mandelausschälung, Gallenstein- und Schilddrüsenoperation, Gelbsucht, schließlich mit einer chronischen Nierenentzündung aus der klinischen Behandlung entlassen worden, weil die weitere Therapie keinen Erfolg versprach. Ich beschränkte mich darauf, ihr eine möglichst natürliche Ernährung zu empfehlen, womit auch am leichtesten die salzarme Kost einzuhalten war. Die Frau war gutwillig, es ging auch alles ganz leidlich; nur gegen Vollkorn (Weizenschrot bzw. Vollreis) hatte sie eine Abneigung. Ich riet ihr ab, sich zu »zwingen«. Nach etwa zehn Jahren trat eine wesentliche Verschlechterung der chronischen Nierenkrankheit ein. Der Blutdruck ging hoch und die Kieferwinkeldrüsen schwollen kinderfaustdick an. Immer wenn die Frau fastete, ging der Befund zurück, um sich ebenso regelmäßig bei der geringsten Nahrungszufuhr wieder zu verschlimmern. Ich stand sozusagen vor der Wahl, die Frau verhungern oder an der Verschlimmerung sterben zu lassen und machte wohl ein hoffnungsloses Gesicht, als mich die Frau fragte: »Wissen Sie nichts mehr?« - »Nein; ich denke zwar, Weizenschrot würden Sie vertragen, aber den mögen Sie ja nicht.« Als ich nach drei Tagen wieder kam, empfing mich die Frau mit dem Satz: »Jetzt mag ich Weizenschrot.«

Nach einem Monat war die chronische Nierenentzündung zurückgegangen, der Blutdruck wurde normal, und die Frau lebt seit 25 Jahren im gleich guten Zustand. Als sie wirklich überzeugt war, daß ihr Leben davon abhing, daß ihr Weizenschrot schmecke, hat er ihr geschmeckt und geholfen.

Ich habe eine solche Verwandlung des Geschmacks nur selten gesehen; meist überdauert die Gewohnheit alle Willensanstrengungen.

Magen-Darm-Erkrankungen

Da die Verdauung ein zusammenhängender Vorgang ist, wird immer das Ganze gestört, gleichgültig, ob das einzelne Organ Ausgangspunkt oder Leidtragender der Störung ist. Auch wenn die Arzneimittel auf das Organ bezogen (organotrop) sind, so dürfen Sie die Gesamtstörung nie aus dem Auge lassen.

Akuter Brechdurchfall

Wenn etwas Falsches in den Magen gekommen ist, so wird er das Unzuträgliche erbrechen. Zunächst hört das Verlangen auf, dann beginnt Übelkeit. Ich nehme dann aus alter Gewohnheit die Kaffeekohle von *Heisler* mit dünnem ungesüßtem Tee und esse *nichts* mehr, nehme also weder »ein Schnäpschen« noch »ein Zwiebäckchen« zu mir. Das fällt zu diesem Zeitpunkt nicht schwer, da man sowieso gleich erbricht oder Durchfall bekommt. Daß man die Kohle erbricht, ist kein Einwand gegen ihre Einnahme: Die störenden Stoffe werden teilweise an die Kohle angelagert und so schneller unschädlich. Gleich genommen, habe ich oft erlebt, daß das üble Aufstoßen aufhört und damit die Heilung schon beginnt.

In jedem Fall sollte man warten, bis ein kräftiges Nahrungsverlangen einsetzt, ehe man wieder ißt. Dabei sollte man nicht mit Ausgefallenem anfangen. Nehmen Sie immer Ihre Kohle mit dünnem Tee, später kleine Mengen der natürlichen Speise, nach der Sie am meisten verlangen. Kauen Sie gründlich und warten Sie ab, ob Sie es vertragen. Dann können Sie die nächste Mahlzeit unter gleicher Vorsicht etwas vermehren, bis Sie wieder in Ihrem gesunden Rhythmus sind. Selbstverständlich gehören fortdauernde Durchfälle als Verdacht auf schwere Magen-Darm-Erkrankungen (Ruhr, Typhus, Cholera) in ärztliche Behandlung.

▶ Ferrum phosphoricum (Ferr-ph.)

Fieberhafter Magen-Darm-Katarrh ohne schwere Allgemeinstörung. Appetitverlust, Magenschmerzen, schlimmer nach Essen. Anfallweise Brechübelkeit, Speisenerbrechen sauer, besonders nach Essen. Bauch gespannt, empfindlich und schmerzhaft. Anfallweise Bauchschmerzen, schlimmer bei Bewegung, nachts und vor dem Stuhl. Gelber wäßriger Durchfall unverdaut, mit Blutstreifchen. Während der Stuhlentleerung kein Drang, keine Schmerzen; nach der Entleerung besser.

Allgemein: Gesicht abwechselnd blaß und rot. Hämmernde Schläfen- und Stirnkopfschmerzen. Großer Durst nach Wasser. Am besten sprechen überempfindliche Menschen an mit heftiger Gefäßerregung.
Gabe: Ferrum phosphoricum D12, 3mal tgl. 1 Tabl.

▶ Pulsatilla (Puls.)

Appetit sehr wechselnd, launisch, bald Hunger, bald übel, Kopfweh, als ob man zuviel gegessen, den Magen verdorben und überladen habe mit fettem (gebratenem) Fleisch. Bitterer Mundgeschmack, weiße trockene oder mit zähem Schleim belegte Zunge ohne Durst (seltener mit Verlangen nach Bier).

Aufstoßen, Magendrücken, Völle, Sodbrennen nach dem Essen (besonders in der Schwangerschaft, wo es das erste Mittel bei Sodbrennen ist), Brechreiz und Erbrechen, besonders nach fetten, süßen oder sauren Speisen, nach gebratenem Schweinefleisch, Kuchen, Eis und saftigen Speisen, wie Salat, Gurken oder Obst.
Durchfälle nach kaltem Getränk im Sommer, besonders nach Eisgenuß. Abneigung gegen warme Getränke und Speisen; kann warm schlecht vertragen, obwohl frostig, besonders an Händen und Füßen. Stühle eher durchfällig, aber auch verstopft. Absonderung schleimig und mild. Herzklopfen im Magen mit Drücken und Rucken nach oben *(Hahnemann).*

Allgemein: schüchternes, weinerliches, zu innerlicher Kränkung und stiller Ärgernis geneigtes Gemüt, mild, nachgiebig, langsam, phlegmatisch *(Hahnemann),* Egoistisch.
Gabe: Pulsatilla D6, 3mal tgl. 1 Tabl.

▶ Veratrum album (Verat.)

Brennender trockener Mund mit großem Durst nach kaltem Wasser, das verschlimmert. Krampfhafter Schluckauf. Ißt viel; klagt trotzdem über Hunger

und Leere im Magen. Hunger und Übelkeit zugleich; Magenschmerzen wie Heißhunger. Heftiges, langdauerndes, reichliches Erbrechen von Speisen, Schleim, Galle oder Blut. Große Schwäche und Erschöpfung, Kältegefühl, verfallenes, blasses Gesicht mit kaltem Schweiß und schnellem Puls; muß hinliegen, sonst wird er ohnmächtig. (Bei Ohnmacht sofort Beine hoch und Kopf tief). Brennen im Leib, will aufgedeckt werden. Blähungskoliken; schmerzhafte Durchfälle mit viel Schleim und Blut; geruchlos. Unwillkürliche Stuhlabgänge. Reiswasserähnliche grüne Durchfälle. Muskelkrämpfe in den Waden (infolge Austrocknung Cupr. acet.).
Gabe: Veratrum album D6, 3 mal tgl. 1 Tabl.

▶ Arsenicum album (Ars.)

Mund ausgetrocknet mit heftigem Durst, Brennen und Wundheit der Schleimhäute. Zunge feuerrot, glatt, trocken oder belegt (Landkartenzunge).

Appetitverlust und Ekel vor dem Essen wie nach verdorbenen Fleisch- und Wurstwaren, nach Eiscreme, verschimmeltem Käse, Obst oder Gurken (Phos., Puls.).
Heftiges Erbrechen, unaufhörlich, solange noch etwas im Magen ist; selbst Wasser wird erbrochen; bitterer Geschmack des Erbrochenen. Heftig brennende Magenschmerzen mit Angst und Unruhe. Häufige kleine übelriechende Durchfälle, die den After wundmachen und Brennen wie Feuer. Nach dem Stuhlgang völlige Erschöpfung. Verlust von Körpersäften.
Gabe: Arsenicum album D6, 3mal tgl. 1 Tabl.

Der verdorbene Magen

Wenn man den Geschmack nicht beachtet, verdirbt man sich den Magen: Wille, Gewohnheit oder Fügsamkeit gegen abwegige Tischsitten überschreiten die Grenzen dessen, was der Magen vertragen kann. Brechdurchfall und verdorbener Magen lassen sich nicht scharf trennen; lesen Sie deshalb die dort beschriebenen Mittel und ihre Magenzeichen nochmals nach.

Arzneibilder

▶ Nux vomica (Nux-v.)

Nux vomica paßt heute aus zwei Gründen häufig: Erstens ist der moderne Mensch geistig überanstrengt, wobei der körperliche Ausgleich fehlt. Zweitens steigert er durch Genuß- und Arzneimittelmißbrauch das Ungleichgewicht, es wird hastig gegessen, ungenügend gekaut, und mit den Zeiten, mit

den Mengen und der Zusammensetzung der Nahrung keinerlei Rücksicht auf die Bedürfnisse der Verdauungsorgane genommen. Der Magen lehnt sich daraufhin gegen die rücksichtslose Willkür des Kopfes auf. Schon morgens hat man eine belegte Zunge, Mundgeruch, Übelkeit trotz Hunger, Magendruck, Sodbrennen, Erbrechen. Später kommen Magenschmerzen, eine halbe bis zwei Stunden nach dem Essen, Völle, Auftreibung mit Bedürfnis aufzustoßen, erschwerter Stuhlgang und wiederholter vergeblicher Drang; Hämorrhoiden mit Blutabgang. Nux vomica hilft in diesen Fällen oft auch gegen das Magengeschwür. Wenn die Kranken aber ihre unsinnige Lebensweise nicht ändern wollen, können sie sich das Problem manchmal nach der Magenresektion neu durch den Kopf gehen lassen *(vgl. S. 63).*
Gabe: Nux vomica D6, 3mal tgl. 1 Tabl.

▶ Antimonium crudum (Ant.-c.)

Dies ist ein gut genährter Mensch, der viel durcheinander ißt und vor allem nach saurem Wein, sauren Früchten und Essig seine Magenbeschwerden bekommt. Obwohl er sauer nicht vertragen kann, hat er Verlangen danach.

Im Mittelpunkt des Bildes steht die Magenverstimmung. Der Magen ist wie überladen, auch wenn er nichts gegessen hat. Es besteht eine Abscheu gegen alle Speisen und gegen Speisengeruch. Auch alle anderen Gesundheitsstörungen lösen die Magenverstimmung (Nausea) aus. Zunge dick weiß belegt (Bry., Nux-v., Puls.), Aufstoßen des Gegessenen, wunde Mundwinkel, Übelkeit, Würgen und Erbrechen bis zu kaltem Schweiß. Schleim- und Galleerbrechen. Das Denken an Essen verschlimmert ebenso wie Speisengeruch. Durchfälle sind wäßrig-schleimig abwechselnd mit harten Klumpen (Colitis mucosa und ulcerosa). Es besteht große Erschöpfung.

Seelisch steht die Abneigung nach vorausgegangenem »Genuß« - Alkohol, Essen - im Mittelpunkt, der Kranke ist übellaunig, abweisend, lebensüberdrüssig und zeigt Abscheu vor dem Leben mit Selbstmordneigung. Magen- und Gicht-Symptome mit Schmerzen beim Gehen wechseln. Starke Verhornung an den Fußsohlen (Graph.), Unverträglichkeit von großer Hitze oder Kälte (Temperaturextreme).
Gabe: Antiomonium crudum D6, 3mal tgl. 1 Tabl.

▶ Argentum nitricum (Arg-n.)

Vgl. hierzu S. 95.

Die chronische Verstopfung

Wer die Verstopfung als technisches Problem sieht, wird mit Einläufen, Klistieren, Zäpfchen und Abführmitteln eingreifen. Besteht die Verstopfung Wochen oder Monate, so ist neben der Untersuchung auf verborgenes Blut auch eine genaue Fachuntersuchung angezeigt. Besteht die chronische Verstopfung schon lange, womöglich seit der Jugend, so tut man gut, sich daran zu erinnern, daß auch die Stuhlverstopfung anzeigt, daß im Verhältnis zum Ganzen etwas gestört ist. Magen und Darm arbeiten nur normal, wenn das Ganze in Ordnung ist, wenn also der Mensch ein ungestörtes Verhältnis zum Aufnehmen und Abgeben hat.

Zunächst muß die Nahrung stimmen: Das Leben lebt vom Lebendigen, es braucht natürliche Vollkost. Dazu gehört, daß es schmeckt; daß man aussucht, wonach man Verlangen hat; daß man *Zeit* hat, vor allem zum Kauen, daß man ißt, soviel man braucht, nicht mehr. Auch geistig und menschlich sollte man sich nicht übernehmen: Wenn unsere Aufnahmefähigkeit überschritten ist, beginnt der Schaden. Man darf den »Mund nicht zu voll nehmen«, man darf nicht mehr nehmen, als man kauen, schlucken und verdauen kann; sonst liegt es wie ein Stein im Magen.
Die Kost darf nicht zu »hochwertig« sein. Wir brauchen auch Schlackenstoffe. Schlackenreiche Vollkost, zu der auch Vollkorn zählt, ist nicht nur das beste und natürlichste Mittel gegen die Verstopfung, sondern behebt gleichzeitig Störungen wie Divertikel im Darm, Gallenleiden, Dickdarmkrebs-Neigung und sogar Gefäßstörungen.

Weiterhin ist es für die zugeführte Nahrung das beste, wenn sie der angemessenen Tätigkeit dient. Man sollte seine Kräfte *voll* gebrauchen, sonst verschwinden sie.

Schließlich muß man die Zeit beachten. Die unwillkürlichen Systeme Atmung, Kreislauf und Ernährung haben ihren natürlichen Rhythmus; der verständige Mensch richtet sich nach den Bedürfnissen der Systeme. Die Vergewaltigung der unwillkürlichen Systeme macht diese widerspenstig. Dabei ist es ziemlich gleichgültig, ob es sich um den eigenen oder fremden Willen handelt, und auf welche Art und Weise man diesen Willen durchsetzen will. So kann ein Kranker z.B. in Gegenwart Fremder keinen Stuhl machen (Ambra) oder hat Verstopfung nach Arzneimittelmißbrauch (Ant-crud., Nux-v., Lach., Bry., Sulf.). Manchmal tritt der Stuhl bei angestrengtem Drücken teilweise heraus und gleitet dann wieder zurück (Sil., Sulf.).

Der chronisch Verstopfte ist bis in den Darm hinein »überspannt«, er kann nicht aus sich heraus, hält alles zurück, sich selbst und auch seinen Stuhl. Das wird ihm zwar alles zuviel, aber er muß durchhalten, wenn er losläßt, so meint er, sei *alles* verloren. Verstopfung bedeutet, daß der Mensch auf Festhalten eingestellt ist, auch bei Kopfschmerzen, Schlaflosigkeit und Depression. Diejenigen, die nicht loslassen können setzen dann ihren Willen ein, und je mehr sie sich anstrengen, desto schlechter geht es. Je unlösbarer ihnen ihre Probleme vorkommen, desto starrer machen sie in der gewohnten Weise weiter. Sie werden immer pedantischer, mißtrauischer, angespannter und geiziger (Ars., Bry., Lyc., Nux-v., Puls., Sil.).

Arznei und Krankheitserscheinungen

Dem Symptom »Stuhlverstopfung« begegnet man bei fast allen Arzneimitteln der Hausapotheke; nach diesem Symptom allein ist eine Arzneiwahl nicht möglich. Ich kann Ihnen deshalb auch nicht *ein* Mittel - oder einige Wenige - für Ihre Verstopfung angeben. Die Mittel müssen nach den andern wesentlichen Symptomen ausgewählt werden. Nur wenn die »Verstopfung« sorgfältig nach den besonderen Eigenheiten des Kranken beschrieben ist, kann man hoffen, das ähnliche Mittel zu erkennen.

▶ Graphites (Graph.)

Eine 17jährige hat Stuhlverstopfung, seit sie vor einem Jahr ihre kaufmännische Lehre angefangen hat. Ohne Abführmittel dauert es eine Woche oder länger, bis sie Stuhlgang hat. Sie ist normal ernährt, hat aber großen Hunger und würde viel essen, wenn sie nicht fürchten würde, das erhebliche Gewicht der Mutter und Großmutter zu erreichen. Sie friert, hat kalte Hände, ist blaß. Die Haut ist trocken, die Mundwinkel sind zeitweilig rissig, die Fußsohlenränder deutlich verhornt. Erste Periode mit 13 Jahren, Blutung alle 3-5 Wochen, zuletzt 6 Wochen; während der Periode und wenn sie verzögert ist, wird die Verstopfung schlimmer. Das Mädchen ist still, zurückhaltend und macht einen angespannten Eindruck.

Nach Graphites LM VI, tgl. 10 Tropfen, geht der Stuhl ohne Abführmittel täglich.

▶ Nux vomica (Nux-v.)

Eine Verkrampfung zeigt sich am ganzen Magen-Darm-System. Der Kranke hat das Gefühl, After und Mastdarm seien zusammengezogen. Vergebliches und wiederholtes Drängen zum Stuhl. Es gehen nur kleine Mengen, verbunden mit dem Gefühl, nicht fertig zu sein. Der Stuhl ist meist hart und trocken; es kommen auch durchfallartige, schleimige Stühle vor. Blutende Hämorrhoiden und Pfortaderstauung sind häufig.

▶ Sepia (Sep.)

Es besteht Stuhlverstopfung mit vergeblichem Drang, auch weicher Stuhl geht schwer (Nux-v., Sil., Graph., Sulf.). Während der Periode und in der Schwangerschaft ist die Stuhlverstopfung schlimmer (Nux-v., Sulf., Apis, Bry.). Im Mastdarm wird oft das Gefühl eines Gewichtes - einer Kugel - verspürt; stechende Schmerzen können sich bis zum Damm erstrecken. Der Stuhl ist mit Blut und Schleim bedeckt. Hämorrhoiden. Mastdarmvorfall. Zu *Sepia* gehört neben dem Stuhldrang auch der Harndrang und das Gefühl, daß die Gebärmutter nach unten drängt. Gesamterschlaffung: Lidsenkung, Eingeweidesenkung und Krampfadern.

▶ Silicea (Sil.)

Der Stuhl bleibt lange im Mastdarm liegen, als ob keine Kraft zur Austreibung da wäre. Der Kranke muß stark drücken; durch den brennenden After herausgepreßter Stuhl rutscht wieder zurück, sobald der Druck nachläßt. Die Stühle sind hart, schleimbedeckt und ungenügend.

▶ Sulfur (Sulf.)

Zu *Sulfur* gehört der Wechsel von Durchfall und Verstopfung. Auffallend sind Morgendurchfälle, die aus dem Bett treiben. Vergeblicher Stuhldrang mit dem Gefühl, es sei etwas zurückgeblieben (Nux-v., Sil.). Schmerzen im After stechend, brennend, juckend, klopfend. Die Stühle sind hart knotig, trocken, wie verbrannt. Schwächegefühl im Magen am späten Vormittag mit plötzlichem Hunger, muß augenblicklich einen Bissen essen.

Die Störung der Atmung und des Wärmehaushaltes

In unserer Zeit sieht man den Menschen gern als Maschine und seine Tätigkeit als Mechanismus. Atmung (Sauerstoffwechsel) und Wärmebildung hängen physikalisch und lebendig so eng zusammen, daß sie hier gemeinsam besprochen werden.

Die gesunde Atmung

Die Atemfunktionen

Der Mensch atmet, um Luft-Sauerstoff aufzunehmen und Kohlensäure abzugeben. In der trockenen Einatmungsluft sind 78% Stickstoff, 20,9% Sauerstoff und 0,03% Kohlensäure (Kohlendioxyd); in der Ausatmungsluft ist die Kohlensäure auf das Hundertfache vermehrt (3,3%) und der Sauerstoff um 4,5% vermindert auf 16%. Vom ersten bis zum letzten Atemzug lebt der Mensch von *Luft,* und zwar von den 4,5% Luft-Sauerstoff, die er aufnimmt und den 3,3% Kohlensäure, die der abgibt.

Die lebenden Zellen brauchen den Sauerstoff für ihren Stoff- und Kraftwechsel. Die Hirnzellen sind am empfindlichsten gegen Sauerstoffmangel; hört der Hirnkreislauf auf, so tritt fast augenblicklich Bewußtlosigkeit ein; ist das Hirn fünf Minuten ohne Sauerstoff, so fängt sein Sterben an. Die anderen Gewebe halten den Sauerstoffmangel zwar länger aus - für die Abbindung etwa bei Schlagaderblutung gibt man die Zweistundengrenze an -, aber auch für sie ist Sauerstoff der wichtigste Lebensstoff. Die sehr verwickelten lebendigen Abläufe führen zum selben Endergebnis wie die Verbrennung von Kohle und Holz im Ofen, zu Kohlensäure und Wärmebildung. Die Zelle braucht den Sauerstoff zur Verbrennung ihrer Kohlenstoffverbindungen; sie bildet dabei Kohlensäure und Wärme.

Die Übertragung des Sauerstoffs und der Kohlensäure vollzieht sich in mehreren Schritten. Von den Lungenbläschen, die von kleinsten Blutgefäßen umgeben sind, wird der Sauerstoff an die roten Blutkörperchen abgegeben und zugleich Kohlensäure aufgenommen. Der Blutkreislauf bringt die roten Blutkörperchen zu den Geweben, wo der Sauerstoff ins Grundgewebe eintritt, um dann an die einzelnen Gewebezellen nach Bedarf weitergegeben zu werden. Die im Grundgewebe angesammelte Kohlensäure wird vom roten Blut mitgenommen, wobei es dunkelblau wird (venöses Blut), und in der Lunge ausgeschieden.

Je mehr Sauerstoff aufgenommen und Kohlensäure abgegeben wird, desto größer ist der Stoffumsatz im Körper. Erhöht sich die zentrale Temperatur um 1/10 Grad, so verdoppelt sich der Sauerstoffverbrauch und damit der Stoffumsatz; der normale Ruheverbrauch an Sauerstoff wird als Grundumsatz bezeichnet. Bei erhöhter Tätigkeit der Schilddrüse ist der Grundumsatz erhöht und der Sauerstoffverbrauch und die Wärmebildung entsprechend gesteigert. Bei jeder Arbeit steigt der Umsatz, die Wärmebildung und damit auch der Sauerstoffverbrauch. Durch die Aufeinanderfolge von Ausatmung und Einatmung wird an den Grenzmembranen ein günstiges »Gefälle« für den Stoffaustausch bewirkt. Das sauerstoffarme venöse Blut gibt nicht nur große Mengen Kohlensäure an die kohlensäurearme Luft in dem frisch beatmeten Lungenbläschen ab, es nimmt aus der sauerstoffreichen Einatmungsluft entsprechende Sauerstoffmengen auf. An den verbrauchenden Geweben läuft der Austausch über gleichartige Membranen. Diese Membranen sind wichtigste Lebenseinrichtungen.

Die Einatmungsluft ist meist nicht nur kälter und wasserärmer als die Ausatmungsluft, sie ist mit einer Menge Fremdstoffe beladen, die *nicht* in das Körperinnere eintreten sollen. Die Luft wird in der Nase vorgewärmt, dort werden Staubteilchen und andere »Fremdstoffe« zurückgehalten und vom Flimmerstrom der Schleimhäute nach außen bewegt.

Die Ausatmungsluft ist mit Wasserdampf fast gesättigt und hat eine Temperatur von etwa 33 °C. Die Ausatmung kann durch Husten, Niesen und Räuspern verstärkt sein, wenn Schleimansammlungen oder Fremdstoffe hinausbefördert werden müssen, die der Flimmerstrom nicht bewältigt.

Atmung als Leben in der »Luftwelt«

Wissenschaftlich kann die Atmung als reines Sauerstoff-Kohlensäure-Problem dargestellt werden; der einzelne hat »Luftprobleme« sobald der Zusammenhang gestört ist. »Wird *eine* Seite abgesondert und tritt selbständig auf, dann ist sie deutlich erkennbar und macht dem Menschen Beschwerden« *(Hippokrates).*

Die gegenständliche *Luft,* d.h. Wetter und Klima im täglichen und jährlichen Wechsel, ist gemeinsam, unentgeltlich, steht offen, jeder kann nehmen, was er braucht; aber sie ist im wesentlichen *gegeben,* man muß ihr entnehmen, was man brauchen kann, fernhalten, was fremd ist. Da fangen die Schwierigkeiten an: Dem einen ist die Luft zu kalt, dem andern zu warm; sie ist zu trokken oder zu feucht, zu ruhig oder zu unruhig, zu klar, durchsichtig oder zu neblig, trüb, zu hell oder zu dunkel, zu rein oder zu verschmutzt. Den einen begünstigt das Wetter, der wird leichter atmen, sich wohl fühlen, den Rückenwind nutzen, - man sagt dann in der Homöopathie z.B., feuchte Luft oder Regen bessert (Caust.). Wenn kalter trockener Wind verschlimmert (Acon), ist es umgekehrt: Man wird durch den Zustand des Luftraumes belastet. Entsprechend stellen sich die Atemwege enger, es nimmt einem den Atem, der Wind weht ins Gesicht; man hat Druck auf der Brust, kann nicht richtig durchatmen, die Luft ist dick, schwer, schwül, beklemmend, beengend; man braucht offene Fenster trotz Kälte (Carbo veg.). Das muß man bewußt wahrnehmen und sich entsprechend einstellen. Man kann sich das Klima aussuchen, wenn man genügend Zeit und Geld hat und die Wettervorhersage gerade stimmt; oder man zieht sich in geschlossene Klimakammern zurück, wo man sein eigenes »Wetter« macht. Vielleicht trägt eines Tages jeder seine Gasmaske mit Spezialfilter. Man sollte nur nicht vergessen, daß die gestrige von Frankreich vielleicht die heutige Luft von Deutschland ist; und daß die menschengemachte Veränderung nicht das ist, was man sich vorher von ihr verspricht.

Wenden wir uns jetzt der Luft im übertragenen Sinne zu: dem familiären Geist, dem Betriebsklima, der sozialen »Atmosphäre« (atmos = Luft, atman = Seele/Geist, Atem). Die blaue Sphäre des Luftraumes, licht, leicht, frei, ist ein nachrichtenfreundliches Medium, Gerüche und Geräusche kommen auf dem Luftwege zu uns, durchsichtige Luft läßt die Sonnenstrahlen durch und macht unsere Welt hell und warm. Unsere Haut und Schleimhaut berührt die Luft, wir leben *in* und *von* der Luft.

Die mit »Empfängern« ausgestatteten Lebewesen sind andererseits dem reichen Angebot der Reize ausgesetzt, die über die Luft kommen. Ein Mensch mag überempfindlich gegen Geräusche und Gerüche sein, der andere gegen frische Luft und Wind. Er wird zwar durch die Nachricht alarmiert, *ehe* die physikalische Wirklichkeit da ist, z.B. bei rheumatischen Schmerzen, die ein bis drei Tage *vor* einem Wetterwechsel auftreten (Natr. sulf.) und hat somit einen Vorsprung, andererseits gibt es aber auch bedrükkende und belastende Nachrichten, z.B. soziale Forderungen, auf die sich der Mensch zu früh und zu stark einstellt. Der Spielraum (Freiheit) hat also seine Vor- und Nachteile.

Wie der Mensch auf die »Nachricht« (Reize) antwortet, hängt von seiner Art zu reagieren ab. Für das Sozialverhalten sind die Temperamente (lat. temperare = maßhalten) am wichtigsten *(Hippokrates)*. Ein Choleriker braust mit rotem Gesicht auf. Der Phlegmatiker ist kaum aus der Ruhe zu bringen. Ein Sanguiniker geht schnell und leicht über Probleme weg. Der Pflichtmensch schließlich merkt langsam, wie stark ihn etwas berührte: Bis er sich an die gründliche Lösung des Problems gemacht hat, ist seine Kraft erschöpft. Diese Verhaltensformen sind grundverschieden (vgl. *Högfeldt*).

Das »innere« Wetter des Menschen (seine Stimmung) kann man weitgehend mit den Worten des Wetterberichtes beschreiben. Da ist einer heiter bis wolkig, trocken, kaum Niederschläge, höchstens örtliche Gewitter; ein anderer ist veränderlich, launisch, wechselhaft, bald bricht ihm der verdrießliche Schweiß aus, bald fröstelt er, bald ist ihm das Grün zu grün und dann sieht er alles wieder grau. Es »stinkt« ihm, er kann seinen Nächsten nicht mehr »riechen« und überträgt (projiziert) seine Abneigung auf dessen Achselschweiß, gegen den er allergisch wird, auf die Gräserpollen, auf die Hausmilben oder auf ein Geräusch, das er nicht mehr ertragen kann. Die verschiedenen Atmosphären passen nicht durch eine gütige Vorsehung zusammen; man muß sich recht einstellen, um sie zu vereinbaren.

Arzneibild

▶ Carbo vegetabilis (carb-v., Holzkohle)

Carbo vegetabilis fehlt es an Lebenswärme, ist phlegmatisch. Die Beine sind kalt, in ausgeprägten Fällen bis zu den Knien; Hände und Füße sind eiskalt. Auch Mund und Atem sind kalt. Der ganze Mensch friert, im Schwächeanfall hat er kalten Schweiß. Er erkältet sich leicht. Im Widerspruch zu dieser Kälte will der Kranke die Fenster weit offen haben: er verlangt frische, kühle Luft, Wärme steigert die Beschwerden. Seine Schmerzen (Magen, Rücken, Brust, Hals, Beine) sind brennend; diese merkwürdige Empfindung widerspricht der objektiven Wirklichkeit (ähnlich Secale). Carbo vegetabilis hat Lufthunger, verlangt, daß ihm kühle Luft zugefächelt wird und fürchtet zu ersticken (Acon., Apis., Ars., Bry., Merc., Nux-v. Phos., Spong., Sulf.) Die Atemnot mag bedingt sein durch den Anstieg der Kohlensäure im Blut; andererseits verstärken die chronischen Entzündungen der Atemwegsschleimhaut (chronische Bronchitis, Emphysem, verschleppte Lungenentzündung) die Gasaustauschstörungen; auch die Sauerstoffversorgung ist ungenügend.

Am deutlichsten sieht man die Gasstoffwechselstörungen am Blut: Die Haut ist blau (zyanotisch) oder blaßblau, die Venen sind erweitert und können blauschwarz durchscheinen, besonders wenn die Haut dünn ist. Die kleinsten Blutgefäße erweitern sich, das Blut bleibt stehen (Stase) und tritt aus (Sickerblutungen, blaue Flecken). Aus den Schleimhäuten blutet es leicht (Mund, Nase, Magen, Darm, Blase); besonders an den Händen fallen Unterblutungen der Haut auf. Der Puls ist schwach und schnell. Herzangst sowie Zittern am ganzen Körper und anfallsweise ohnmächtige Schwäche mit kaltem Schweiß können sich einstellen. Blutarmut.

Am Verdauungssystem fällt eine starke Oberbauchblähung auf; dadurch werden Atmung und Herztätigkeit gestört (gastrokardialer Symptomenkomplex). Der Bauchdruck wird leichter, wenn der Kranke aufstoßen kann oder (übelriechende) Winde abgehen. Der Magen brennt; die Lebergegend ist druckempfindlich. Carbo vegetabilis ist Fett, Milch und Fleisch abgeneigt, verträgt sie auch nicht. Brennend stinkende Durchfälle können mit harten Stühlen wechseln; danach bluten oft die Hämorrhoiden. Dem Stuhl folgt Angst mit Zittern.

Die Absonderung ist blutig und übelriechend wegen der Stoffwechselstörungen. Die Entzündung ist verlangsamt (sich hinziehende Furunkel, Karbunkel, Pneumonien) und kommt zu keinem Ende. Diese sich verschleppende Krankheit führt *Stiegelc* auf eine anlagemäßige Reaktionsschwäche zurück. Der schwachen Organleistung entsprechend nimmt der ganze Mensch ab. Die geistige Leistung ist verlangsamt, das Gedächtnis setzt zeitweilig aus. Es wird ihm schwarz vor den Augen, er dämmert vor sich hin und wird gleichgültig, was nicht ausschließt, daß er zeitweilig ärgerlich, erregt und ängstlich sein kann. Die Schwäche nimmt zu; der Kranke magert ab, das Gewebe zerfällt (Geschwüre am Mund, Magen und Unterschenkeln). Drüsengeschwülste treten auf. Mit Carbo vegetabilis D6 (bis LM VI) kann man diesen Kranken oft gut helfen.

Störungen des Sauerstoffwechsels

Die äußere Behinderung der Atmung

Werden die Atemwege eingeengt oder durch Fremdkörper verlegt, z.B. bei Erhängen, Erwürgen, Ersticken, Einatmen von festen oder flüssigen Stoffen, so lautet die Regel der Ersten Hilfe: Atemwege freimachen, künstlich beatmen, bis eigene Atembewegungen einsetzen.

Nicht selten behindert der Mensch unabsichtlich und aus Unverstand die natürliche Atmung. Als junger Arzt wurde ich zu einem Säugling gerufen, der blaurot war und nach Luft rang, ein lebensbedrohlicher Zustand. Ich machte den Kleinen frei. Als ich die Nabelbinde abwickelte, quoll der Bauch hervor. In wenigen Sekunden waren Atemnot und Blauverfärbung verschwunden, und das Kind strahlte über das ganze Gesicht. Die Mutter war sehr erstaunt. Viele Kinder haben am Ende des ersten Lebensjahres eine ringförmige Eindellung um den Brustkorb, dort, wo die Gummizüge der Höschen einen Dauerdruck ausüben. Ich habe in diesen Fällen anfangs auch gedankenlos Rachitis angenommen; heute bin ich sicher, daß der Gummizug diese Eindellung verursacht. Sehen Sie sich einmal in Ruhe die Atmung eines Säuglings an, selbstverständlich ohne Nabelbinde - wie harmonisch Brust und Bauch zusammenwirken! Auf keinen Fall sollte man - einer Theorie zuliebe - die Lebenstätigkeit von Anfang an künstlich einengen und behindern und eine Falschatmung erzwingen, die die Grundlage für sich wiederholende Atemwegsinfekte ist.

Das Bewußtsein soll natürlich atmen lassen, seinen »Eigensinn« mit den Bedürfnissen des Körpers abstimmen. Dann wirken die verschiedenen Systeme harmonisch zusammen.

Die Störung des Wärmehaushaltes

Die Schwierigkeiten mit dem natürlichen Temperaturwechsel (Sommer-Winter, Tag-Nacht) hat der Mensch durch seine Technik ausgeglichen. Dafür hat er jetzt andere Schwierigkeiten: Einerseits kann die technische Regulation sich gewöhnlich nicht an die *individuellen* Bedürfnisse anpassen, andererseits verliert der Mensch sein eigenes Anpassungsvermögen, wenn es nicht mehr durch den natürlichen Wechsel herausgefordert wird. Somit ist es sinnvoll, die körperliche Tätigkeit vernünftig zu unterstützen. Mancher Kranke, der im geheizten Raum sein Temperaturgleichgewicht verloren hat, findet es schnell wieder, wenn er sich im Freien bewegt.

Die natürliche Wärmeregulation

Von der anorganischen Chemie wissen wir, daß die Temperatur einen starken Einfluß auf die Geschwindigkeit chemischer Vorgänge hat. Reaktionen verlaufen bei höheren Temperaturen schneller, bei tieferen langsamer. Auch die Stoffwechselprozesse des Lebens verlaufen um so schneller, je höher die Temperatur ist. Das Leben ist allerdings praktisch nur in einem beschränkten Temperaturbereich möglich; die oberste Grenze für das menschliche Leben ist 42–43 °C. An sich hält das Leben das Einfrieren unter bestimmten Umständen aus, aber dabei erlischt z. B. bei den wechselwarmen Tieren die Tätigkeit fast vollständig, während sie in der Wärme flink und lebhaft sind (Eidechsen). Der Mensch kann mit Hilfe der natürlichen Wärmeregulation das Vierfache des Wärmezuwachses oder - verlustes ausgleichen; mit Hilfe von wärmetechnischen Möglichkeiten (Klimaanlagen) kann er ein aktives Leben sogar in der Weltraumkälte führen.

Die lebenseigene Wärmeregulation ist ein vielschichtiges Problem. Man muß nicht nur mit größeren Schwankungen um die mittlere Körpertemperatur (37°C) *rechnen,* sondern man muß sich auch die Mühe machen, diese Schwankungen im Rahmen des Möglichen zu messen. Das muß jeder selbst tun. Man muß vor der Messung im Darm das Thermometer unter 35°C herunterschütteln und ablesen, ehe man das Thermometer wieder reinigt. Nach dem, was ich erlebe, wird höchstens die Hälfte der Temperaturen einigermaßen genau gemessen.

Die Grundtemperatur des menschlichen Körpers beträgt 37°C, im After gemessen. Man muß diesen Mittelwert auf die Sondertemperaturen der einzelnen Organe und Körperbereiche beziehen: Leber und Niere arbeiten bei 39–40°C, die Lungen sind auf 35,5, das Hirn auf 36,8–36,9°C eingestellt, die Samenfäden brauchen eine gleichmäßige Temperatur von 36,7. Für die Haut liegt die Kalt-Empfindlichkeitsschwelle bei 34°C. Ohrläppchen und Nasenspitze haben oft nur 20°C. Die Regelung soll dafür sorgen, daß *jeder* Teil eine für ihn günstige Temperatur bekommt, damit das Ganze optimal zusammenarbeitet.

Droht Unterkühlung und damit gesteigerter Wärmeverlust, so wird die Hautdurchblutung und damit die Ableitung und Abstrahlung von Wärme vermindert, die Wärmebildung gesteigert (Kältezittern). Sinkt die Hauttemperatur unter 34°C, so wird die »Kälte« *bewußt*. Nun kann der Mensch durch vernünftige Verhaltensweise zum Temperaturausgleich beitragen: Er kann sich z.B. wärmer anziehen, sich zudecken oder einheizen.

Droht Überhitzung, so werden die Hautgefäße erweitert (Rotwerden des Gesichts) und damit die Wärmeabgabe vermehrt. Genügt diese Maßnahme nicht, so bricht Schweiß aus, dessen Verdunstung schnellere Abkühlung bewirkt. Dieser Schweißausbruch tritt ein, wenn die zentrale Temperatur im Hirn 36,9°C überschreitet. Gleichzeitig wird das Bewußtsein durch ein unbehagliches Gefühl angehalten, sich »vernünftig« zu verhalten: Man kann durch zusätzliche Lüftung (Ventilator) für schnellere Abkühlung sorgen, kühle schattige Stellen aufsuchen, Kälte zuführen (kalte Getränke, kalte Umschläge) und die Wärmebildung einschränken durch Verzicht auf unnötige Bewegung.

Das Wärme-Kälte-Gefühl des Menschen muß von der objektiven, mit dem Thermometer gemessenen Temperatur unterschieden werden. Es gibt Menschen, die auf warm oder kalt *eingestellt* sind – frostige oder hitzige Menschen. Schon das Wort »hitzig« deutet an, daß man nicht nur an körperliche, sondern auch an seelische, geistige und soziale (Nest-)Wärme denken muß. Alle Warm-Kalt-Symptome, ob sie Einzelteile oder den ganzen Menschen betreffen, müssen beachtet und geordnet werden. Bei dem Verhältnis des Menschen und seiner Teile zu den verschiedenen Wärme- und Kältequellen ist der Widerspruch zwischen subjektivem Befinden und objektivem Befund besonders wichtig: Es ergeben sich sonderliche Symptome, die wir für die homöopathische Arzneimittelwahl brauchen, so z.B. heißer Kopf, kalte Füße; links warm, rechts kalt; obwohl das Bein sich kalt anfühlt und blaß ist, sucht der Kranke eine kühle Stelle und verträgt Wärme nicht (Secale); obwohl der Kranke friert, will er aufgedeckt sein oder offene Fenster haben, damit kalte (frische) Luft hereinkommen kann (Carb-v).
Wegen der Bedeutung der Kalt-Warm-Symptome (Modalitäten) stelle ich sie auch für die Hausapotheke zusammen. Sie sind nicht nur für die Arzneiwahl wichtig, auch Ihr Arzt muß sie kennen, wenn er Ihnen raten soll.

Kälte-Verschlimmerung haben

▶ Nux vomica, Rhus toxicodendron, Aconit, Arsenicum, Barium carbonicum, Belladonna, Calcium, Causticum, Graphites

Wärme-Verschlimmerung haben

▶ Apis, Argentum nitricum, Cepa (Allium cepa) Spongia (Jod), Gelsemium, Pulsatilla.

Verschlimmerung durch extreme Wärme und Kälte haben

▶ Mercurius und Antimonium crudum.

Die krankmachende Unterkühlung (»Erkältung«)

Die Unterkühlung kann äußere Ursachen haben, z.B. wenn der Wärmeverlust größer ist und schneller eintritt als die natürliche Wärmeregulation ausgleichen kann. Dies ist der Fall bei unvorhergesehenen Durchnässungen, plötzlicher Abkühlung der Luft z.B. durch Hagel oder nach Schwitzen in überheizten Räumen. Innere Ursachen sind übermäßige Hautdurchblutung, z.B. nach Alkoholgenuß, Zustand vor einem Kollaps, krankhafter Schweißausbruch im Schock (kalter Schweiß). Nicht zu vergessen sind Aufregungen, die jedes Temperaturgefühl ausschalten können. Oft liegt der Unterkühlung einfach eine Verhaltensstörung zugrunde: unvernünftige Kleidungsgewohnheiten, wie zu warme oder zu leichte Kleidung, Sitzen in nasser Badehose, Aufenthalt in kalten Räumen oder im Zugwind nach Schweißausbrüchen, ungenügende Bewegung bei sitzender Arbeit. Bei Vegetativ-Labilen, zu denen alle »Nervösen« gehören, muß immer mit einer labilen Wärmeregulation gerechnet werden. Ich habe z.B. oft bei Migräne eine Untertemperaturphase beobachtet: leider ist es schwer, die Kranken in diesem apathischen Zustand zur Temperaturmessung zu bewegen.

Wenn die zentrale Temperatur unter 36,8°C sinkt, steigt beim Menschen die Gleichgültigkeit gegenüber dem von der Haut ausgehenden Kältereiz. Nur unter Einsatz des Willens achtet man in diesem Fall auf Hitze- und Kältegefühl und entspricht diesem durch vernünftiges Verhalten.

Man braucht seine Wärmeregulationsschwäche nicht einfach als Schicksal hinzunehmen. Die Wärmeregulation kann man ebenso trainieren wie Kreislauf und Atmung, die ja auch erheblich an der Wärmeregulation mitwirken. Indem man sich regelmäßig und kräftig in frischer Luft bewegt, durch kalte Duschen und Wechselbäder die körperlichen Funktionen herausfordert, indem man einfach ausreichend körperlich tätig ist, entwickelt man nicht nur die Leistungsfähigkeit der Muskulatur und des Herzens, sondern fördert die Wärmeregulation. Auf der anderen Seite sollte man sich vor übertriebener Bequemlichkeit in acht nehmen. Die Klimaanlage führt durch Nichtgebrauch der *eigenen* Wärmeregulation zu deren Nachlassen und Versagen aus Mangel an Übung. Bei Zentralheizung, Klimaanlage, Heizdecken, Zudecken (Federbetten) warmen Bädern sowie bei Kleidung gilt: weniger ist meist mehr. Jede Überheizung führt reaktiv zur Ab- und Unterkühlung. Andererseits muß man bei der Abkühlung darauf achten, daß die Wiedererwärmung bald einsetzt, ein Vorgang, den schon *Hippokrates* genau beschrieben hat.

Ich möchte die Abhärtungsfanatiker auf die Grenzen aufmerksam machen. Wenn jemand glaubt, er sei es seiner Gesundheit schuldig, das Eis aufzuschlagen und sich dann behaglich im Eiswasser zu räkeln, so habe ich dagegen nichts. Nur wenn er seinen zitternden Sohn zwangsweise zu diesem Verfahren mitschleppt, so halte ich das für eine Rohheit: Das Kind wird nur kälteüberempfindlich werden, und zwar mit jedem Mal mehr. Jedes Verhalten, jede Übung muß freiwillig sein, sie muß aus dem eigenen Antrieb kommen, andernfalls wirkt sie umgekehrt.

Zur Vorbeugung bei Erkältungskrankheiten sind zwei Mittel geeignet: Camphora und Nux vomica.

Arzneibilder

▶ Camphora (Camph.)

Camphora ist ein Arzneimittel, das über die Stärkung des Kreislaufs die Wärmeregulation verbessert. Menschen, die blaß, leicht erkältet bei jeder Infektion schnell erschöpft sind und kollabieren, können Camphora D2-Tabl. nehmen, dabei immer die Arzneiwirkung beobachten *(vgl. S. 21, 22).*

▶ Nux vomica (Nux-v.)

Bei beginnendem Erkältungsgefühl - man spürt einen Schnupfen, eine Grippe, fröstelt und fühlt sich unwohl - hilft neben Camphora D2-Tabl. auch oft Nux vomica D6, 3mal 1 Tabl.

Camphora und Nux vomica sind nach der Natur der Kranken zu unterscheiden: Wer schnell erschöpft ist und zu Kollaps neigt, nimmt Camphora; ein aktiver, ärgerlicher Manager nimmt an der Grenze zum Zusammenbruch besser Nux vomica. Auch ungewöhnliches Wohlbefinden kann ein Warnzeichen sein *(vgl. S. 59).*

Fieber

Dem Fieber, d.h. der Erhöhung der Körpertemperatur, geht im allgemeinen eine kurze Phase der Untertemperatur voraus.

Die Temperaturerhöhung kann »von innen« kommen, also von der Natur gewollt sein, um das gestörte Gleichgewicht zwischen Mensch und Krankheitserreger wieder herzustellen. Wenn die zentrale Temperatur um 1/10°C steigt, verdoppelt sich die Wärmebildung (der Stoffumsatz); mit der Erhöhung um 4/10° wird also der Umsatz vervierfacht. Diese gesteigerte Stoffwechselleistung des Körpers ist günstig, weil sich die Krankheitserreger bei niedrigen Temperaturen ungestört entwickeln. Senkt man das Fieber bei infizierten Versuchstieren künstlich, z.B. durch Fieberzäpfchen, so sterben mehr Tiere an der Infektion. Das Fieber ist also meist eine gezielte und wirksame Maßnahme des Körpers, um mit einer Infektion fertig zu werden.

Es gibt auch Störungen der Wärmeregulation, bei denen Fieber eine wirkliche Krankheit ist. Nach meinen Erfahrungen können wir das heilsame vom krankhaften Fieber nicht zuverlässig unterscheiden. Ich gehe davon aus, daß die Natur im akuten Notfall meist das Notwendige tut, wenn der Mensch vernünftig ist und nicht durch eigensinniges Falschverhalten die natürliche Leistung stört. Bei chronischen Krankheiten ist scheinbar verständlich, daß der Mensch das pathologische Naturverhalten wieder in Ordnung zu bringen versucht. Allerdings muß man dabei *mit* der Natur arbeiten und nicht gegen sie. Ich halte gewaltsame Eingriffe nur für angezeigt, wenn die Einwirkung auf den Menschen von so übermächtiger Kraft ist, daß nur noch die unmittelbare Gegenwirkung Hilfe verspricht. Sonst ziehe ich die sanfte und verständige Mitwirkung vor, die zum Ausgleich hilft. Um es gegenständlich zu sagen: Ich bin *gegen* Fieberzäpfchen als »normale« Behandlungsmethode und ziehe die homöopathische Behandlung vor.

Temperaturanstieg bedeutet, daß Wärme zurückgehalten wird: Der Kranke ist blaß (wegen der Verminderung der Hautdurchblutung), zittert zur Steigerung der Wärmebildung und fühlt sich kalt, man kann durch Zudecken und Wärmezufuhr zur Erhöhung der Temperatur beizutragen. Hat das Fieber seinen Höhepunkt erreicht, so ist das Froststadium beendet und das Hitzestadium beginnt: Durch Hautröte, Schweißausbruch und das Bedürfnis sich aufzudecken, wird bewirkt, daß die Temperatur nicht weiter steigt, sondern auf das gewünschte Niveau eingestellt bleibt.

Die individuellen Besonderheiten der Fiebererscheinungen machen die Wahl des besonderen Arzneimittels möglich. Für die Hausapotheke sollen fünf Arzneimittel vorgestellt werden, an die bei Fieber zuerst zu denken ist.

Arzneibilder

▶ Aconitum (Acon., Blauer Eisen- oder Sturmhut)

Stürmischer Temperaturanstieg, meist abends und nach kaltem Wind, anfangs mit Hautblässe, dann Gesichtsröte *ohne* Schweiß, unruhig, ängstlich, bewußtseinsklar.
Gabe: Aconit D6 glob.
Ich stelle dem Kranken die Wiederholung der Gabe frei, *Hahnemann* ist für seltene Gaben.

▶ Belladonna (Bell., Tollkirsche)

Sobald Schweiß auftritt, ist die Zeit für Belladonna gekommen. Auch hier beginnt das Fieber sehr heftig: Der Kranke hat ein rotes Gesicht, klopfende

Pulse, klopfende Kopfschmerzen, ist empfindlich gegen Kälte, Zug, Entblößung. Die Augenbindehaut ist gerötet, ebenso der Rachen, wobei noch keine bestimmten Organe weh tun.

Es besteht Überempfindlichkeit gegen Sinnesreize (Licht, Geräusch, Berührung, Erschütterung und Schmerz). Mit steigendem Fieber geht die anfängliche Lebhaftigkeit und Ideenflucht in Delirien und Schlafsucht über. An den unruhigen Gliedern können Zuckungen und Krämpfe auftreten. Der Schweißausbruch in diesem Zustand ist als Hinweis zu werten, daß die Natur keine weitere Temperatursteigerung will. Nach der Einnahme von Belladonna D6 schläft der Kranke ein, und am andern Morgen ist nicht selten die ganze Krankheitsheftigkeit verschwunden.
Gabe: Belladona D6, ein- oder zweimal

▶ Ferrum phosphoricum (Ferr-ph.)

Wenn am nächsten Morgen noch mittlere Temperatur besteht, so geben Sie Ferrum phosphoricum D12, täglich 1 Tabl. Manche Naturen reagieren nicht so stürmisch wie Aconit und nicht so heftig wie Belladonna, sondern »schwächer«. »Schwach« oder »schwächlich« darf hierbei nicht als moralische Wertung verstanden werden, sondern als Symptombeschreibung. Es gibt »stabile« kräftige Typen wie für Aconit passend (Stheniker) und »labile«, die im Wechsel blaß oder rot, blutarm, abwehrschwach sind (Astheniker). In einer Zeit, in der Härte, Stärke und Brutalität viel gelten, scheint es oft nicht angebracht, weich empfindlich und erschöpft zu sein. Vergessen Sie in diesem Zusammenhang nicht das ostasiatische Wort: weich ist härter als hart. Schwäche ist relativ. Bei Ferr. ph. beginnt und verläuft das Fieber milder, der Kranke ist nicht so mitgenommen und überempfindlich wie bei Belladonna: er kann bei 39 Grad Fieber zeitungslesend im Bett liegen und sich ganz leidlich fühlen.
Gabe: Dem milden Verlauf entspricht die längere Dauer, und so wird Ferrum phosphoricum auch gegeben: 1 Tabl. vor dem Essen, 8 Tage lang. Geben Sie bei stürmischem Beginn zuerst Aconit D6 glob., darauf bei rotem schwitzenden Gesicht einmal Belladonna D6, schließlich fortgesetzt Ferrum phosphoricum D12 tgl. 1 Tabl. Damit haben wir nach Camphora D2 Tabl. und Nux vomica D6 Tabl. ein weiteres Vorbeugungsmittel gegen Erkältungen.

▶ Apis mellifca (Apis, die Honigbiene)

Wenn die fieberhafte Entzündung das bisherige Maß überschreitet und erhebliche Schwellungen auftreten, so treten wir in den Wirkbereich von Apis ein. Am besten machen Sie sich das Arzneibild von Apis am Bienenstich klar: Nach dem Stichschmerz schwillt die Haut an, im lockeren Gewebe, z.B. am Zäpfchen und an den Augenlidern kommt es zu glasigen Schwellungen,

die in bestimmten Bereichen z.B. im Rachen, schnell lebensbedrohlich werden können. Die entzündeten Stellen schmerzen, brennen und sind gegen Wärme, Berührung und Druck hochempfindlich. Die Beschwerden bessern sich durch Kälte. Steigende Urinausscheidung ist ein gutes Zeichen. Die Haut ist abwechselnd brennend trocken oder feucht-heiß. Der Gesamtzustand ist in der Wärme und auch nach dem Schlaf besonders schlecht. Bei den stichartigen Schmerzen kommt es, wenn die Hirnhäute entzündet sind, zu schrillem Aufschreien.
Gabe: Apis D4 stündlich 1 Tabl., bis die Schwellung zurückgeht; meist bessert sich dann auch der ganze Zustand.

▶ Mercurius solubilis (Merc. Quecksilber)

Die Zeit für dieses Mittel ist gekommen, wenn nach Rötung, Schmerz und Schwellung unter hohem Fieber die ersten Zeichen der Eiterung auftreten. An den Mandeln treten Eiterstippchen auf, an der Mundschleimhaut kommt es zu kleinen örtlichen Schleimhautgeschwüren, manchmal mit grauen oder grüngelben Belägen. Die Schleimhautfarbe wird bläulich, die Zunge ist dick weiß belegt und zeigt Zahneindrücke, der reichliche, zähe fadenziehende Speichel ist übelriechend. Begünstigt wird diese eitrige Mundschleimhautentzündung durch Zahnschäden und Zahnfleischerkrankungen. Die Mandeln und die dazugehörigen Kieferwinkellymphknoten sind verdickt. Temperaturextreme (zu heiß, zu kalt) werden besonders an den Zähnen schlecht vertragen. Nachts und und in Bettwärme werden die Beschwerden schlimmer empfunden. Der Kranke neigt zu starken, übelriechenden und manchmal gelbfärbenden Schweißen.
Gabe: Mercurius solubilis D12, 2mal 1 Tabl.

Übersicht

Bei plötzlichem, heftigem, besonders abendlichem Fieber mit trockenem rotem Gesicht beginnen wir immer mit Aconit D6 glob. Sobald Schweiß eintritt, setzen wir die Behandlung mit Belladonna D6 glob. fort. Bei glasiger Schwellung am Zäpfchen, auch an den Unterlidern ist Apis angezeigt; wenn die Eiterung beginnt, Mercurius. Ferrum phosphoricum ist bei mittlerem Fieber und weniger heftigem Verlauf das erste Mittel. Alle diese Mittel sind zur Einleitung der Behandlung in der Notlage gedacht, nicht als Ersatz für die ärztliche Behandlung.

Atemwegserkrankungen

Wenn jemand sagt er habe sich erkältet, so ist damit eine Erkrankung der Atemwege gemeint (Schnupfen, Husten, »Grippe«). Natürlich gibt es auch »Erkältungen« der Blase, der Glieder, des Magen-Darm-Bereichs oder des Kopfes - von den Erfrierungen einmal ganz abgesehen. Hier sind die Atemwege im Mittelpunkt der Aufmerksamkeit - bis hin zum »symbolischen Schnupfen«. Wenn man von jemand sagt, er sei »verschnupft«, so meint man eine »seelische« Erkältung.

Lange Zeit sah man die Krankheitserreger als ausschließliche Krankheitsursache an und versuchte Bakterien und Viren zu beseitigen. Es ist unbestritten, daß es keine Infektionskrankheit ohne Erreger gibt: Wenn man sich nicht mit dem »Grippevirus« ansteckt, so bekommt man auch keine »Grippe«. Aber umgekehrt gilt nicht: Wenn man sich ansteckt, wird man krank. Bei den meisten Infektionen erkranken die Menschen trotz Ansteckung nicht (sichtbar). Wenn wir bedenken, daß wir uns nicht gegen die täglichen unübersehbaren Infektionsmöglichkeiten schützen können - wir können nicht im Glaskasten oder im Isolierzelt leben - dann wird das Auge wieder offen für die vielen anderen Ursachen der Krankheit, die wir zusammengefaßt als »Anfälligkeit« (Krankheitsbereitschaft, Disposition) bezeichnen. Die regelmäßige Zunahme der Erkältungskrankheiten in der »kalten« Jahreszeit belegt z.B. statistisch, daß Kälte einer der Krankheitsfaktoren ist.

Die meisten Viren haben in der Kälte bessere Lebensbedingungen. Kälte bedingt eine örtlich verminderte Durchblutung, besonders wenn die kalte Luft bei verstopfter Nase unmittelbar in die tieferen Atemwege kommt. Außerdem verlangsamt sie den Stoffwechsel des Warmblütlers. Ich habe die Umstände beschrieben, unter denen es zur örtlichen und allgemeinen Unterkühlungen kommen kann und die natürliche Gegenmaßnahme (das Fieber) in diesem Zusammenhang gesehen. Bei Fieber werden normalerweise die Lebensbedingungen der vorübergehend eingedrungenen Erreger so verschlechtert, daß sie wieder verschwinden, wenn man die Natur in ihren Maßnahmen nicht blockiert, z.B. durch Fieberzäpfchen.

Mit der Atemluft kommen Fremdkörper in die Atemwege, darunter auch Bakterien, die sich auf der Schleimhaut niederschlagen. Diese ist einerseits durch den Schleim oberflächlich geschützt, andererseits wird durch Flimmerhärchen dafür gesorgt, daß der verschmutzte Schleim, die Verunreinigung, ständig zum Ausgang hin getrieben wird. Unterstützt wird diese Selbstreinigung durch das natürliche Fließen (Katarrh), durch Niesen, Husten, Räuspern und Ausspucken. Man tut gut daran, diese Selbstreinigung so wenig wie möglich durch »Blocker« und Betäubungsmittel zu behindern. Wir müssen auf der Naturleistung aufbauen und dürfen sie nicht durch unsere Eingriffe ersetzen wollen.

Die folgenden Arzneimittel wirken alle auf die Nasenschleimhaut (Schnupfen). Auch wenn ein Mittel besonders auf ein Organ oder einen

Punkt zielt, dürfen wir doch nie vergessen, daß ein Arzneimittel immer auf den ganzen Menschen wirkt, nicht nur auf die Nasenschleimhaut, auf das Mittelohr, den Kehlkopf, die Luftröhre und ihre Verzweigungen (Tracheo-Bronchitis), auf die tieferen Atemwege und die Lungenbläschen.

Arzneibilder

▶ Cepa (Allium cepa, Küchenzwiebel)

Oft kommt es nach feuchtkaltem Wind oder Durchnässung der Füße zu einer Nasenschleimhaut- und Augenbindehautreizung. Die reichliche, wäßrige Absonderung aus der Nase macht wund, sie wird durch Niesen unterstützt. Die Augen sind rot und brennen, es besteht Lichtscheu und reichlich Tränenfluß. Die Entzündung greift meist auf die Stirnhöhlen (Stirnkopfschmerz) und auf den Kehlkopf über, was zu Heiserkeit und krampfhaftem, trockenem Husten führt. Die Beschwerden sind schlimmer im warmen Zimmer und besser im Freien und in kühler trockener Luft.
Gabe: Cepa D6 Tabl., 2stündlich 1 Tabl.
Das Mittel eignet sich auch bei Schnupfen mit Rückfallneigung und Heuschnupfen. Begleiterscheinungen, die auf Cepa hinweisen, sind häufiger Harndrang und reichliche übelriechende Winde.

▶ Euphrasia (Euphr., Augentrost)

Auch zu Euphrasia gehören Fließschnupfen, Niesen, Stirnkopfschmerzen und Augenbindehautentzündung. Im Unterschied zu Cepa stehen die heftigen Augenreizerscheinungen im Vordergrund (»Augentrost«), die Lidränder brennen und sind geschwollen. Der Nasenfluß ist mild. Kälte verschlimmert. Husten und Schnupfen werden besser durch Liegen und nachts.
Gabe: Euphrasia D2, 2stündlich 1 Tabl.

▶ Nux vomica (Nux-v., Brechnuß)

Der Schnupfen wird durch Abkühlung ausgelöst. Am Tage besteht Fließschnupfen. Beim Hinlegen, nachts und im warmen Zimmer hört die Absonderung auf, und es besteht ein unangenehmes Verstopfungsgefühl. Schnupfen und Allgemeinzustand des Kranken sind schlimmer in der Kälte und morgens. Im Fieber hat der Kranke Bedürfnis nach Wärme und warmer Zudecke. Wenn er sich bewegt und aufgedeckt wird, schaudert er (ähnlich wie Rhus toxicodendron).

Wenn man Nux vomica bei den ersten Krankheitszeichen nimmt, wirkt es abkürzend auf die Erkältungskrankheit oder verhindert den Ausbruch. Der »Erfahrene« merkt die herannahende Krankheit oft daran, daß er sich ganz ungewöhnlich wohlfühlt. Nimmt er dieses ungewöhnliche Wohlbefinden als erstes Krankheitszeichen, hat er einen Behandlungsvorsprung, *(vgl. S. 59)*
Gabe: Nux vomica D30, 1 Tabl.

▶ Ferrum phosphoricum (Ferr-ph.)

Es wirkt wie Nux vomica und Camphora, nicht nur auf das Fieber und den Allgemeinzustand, sondern auch unmittelbar auf die Schleimhaut. Der Schnupfen beginnt mit wäßriger Absonderung wie z.B. bei Grippe und Masern, Niesen, trockenem Husten, Heiserkeit, steigt dann ab in die Lungen bis zur Lungenentzündung. Mit Vorliebe wird das (rechte) Mittelohr befallen, und hier wirkt Ferrum phosphoricum D12 zusammen mit Aconit oft schlagartig: Kürzlich kam mein Enkel abends nach einer Fahrt im offenen Wagen weinend mit heftigen, klopfenden Mittelohrschmerzen nach Hause, es bestand eine intensive Rötung am rechten Trommelfell. In zwei Stunden war mit Aconit D30 glob. und Ferrum phosph. D12 Tabl. alles verschwunden. Es kam auch nichts nach.

▶ Camphora (Camph).

Zum Camphora-Bild gehört ebenfalls der beginnende Schnupfen mit Niesen, verstopfter Nase, Stirnkopfschmerz und Frösteln, bis zu Frostschauer. Im Fieber will der Kranke zugedeckt sein, beim Kollaps will er sich aufdecken. Besonders kennzeichnend für Camphora sind: Erschöpfung (Schwäche), Blässe, Erstickungsnot durch Bronchialschleimansammlung und Herzbeklemmung (das Mittel wird später unter Kreislaufstörungen nochmals auftauchen). Camphora D2 Tabl. eignen sich zur Vorbeugung bei Erkältungskrankheiten. *(s.S. 114).*

▶ Apis (Honigbiene)

Hauptsymptome sind Schwellungen, brennende, stechende Schmerzen, schlimmer in der Wärme. Oft handelt es sich um Menschen die »süßes Blut«, haben – so der Volksmund – die bevorzugt von Insekten gestochen werden. Die Schleimhautbeziehung von Apis reicht von der Nase bis zur Luftröhre, auch zum Rachenring und zum Kehlkopf. Es besteht Nasenkatarrh mit verschwollenen Schleimhäuten und wäßriger Absonderung, die sich in der Wärme und nach dem Schlaf besonders lästig bemerkbar macht. Nase teils tropfend, teils trocken. Der Husten ist krampfartig mit Kehlkopfreiz. Es kann

zum Gefühl der Erstickungsnot kommen, das im Liegen und nachts schlimmer wird. Die Zunge ist trocken mit dunklem Belag, an der Zungenspitze besteht ein rotes »Dreieck«. Das Zäpfchen ist geschwollen und hängt oft glasartig-durchsichtig bis zum Zungengrund herab. Augenentzündung mit wäßriger Absonderung, kaum eitrig, die Augenlider sind geschwollen, brennend und stechend.
Gabe: Apis D4 Tabl., 2stündlich 1 Tabl.

▶ Spongia (Spong., jodhaltiger Schwamm)

Beim nächtlichen Aufwachen - etwa Mitternacht - an Kehlkopfkrampf mit ziehender Einatmung und Erstickungsgefühl (Krupphusten) ist das erste Mittel Aconit D6 glob., dann Spongia D6 Tabl.
Diese Mittel können Sie sofort geben, noch ehe Sie den Arzt rufen, was wegen der aufregenden Umstände meist der Fall sein wird.
Die Atemnot ist im Sitzen besser.

Grippe

Grippe und grippeähnliche Erkrankungen (grippöse, grippale Infekte) haben einige Besonderheiten. Antibiotika sind gegen Viruserkrankungen unwirksam. Man begründet ihre Anwendung bei Grippe mit der »Abdeckung« bakterieller Begleitkeime. Grundsätzlich heißt das aber, daß der Körper mit der Viruserkrankung selber fertig werden muß, also ist die natürliche Abwehr zu unterstützen. Ich bin der Meinung, daß fiebersenkende und betäubende Arzneimittel die natürliche Abwehr erschweren, also schaden können. Gerade bei der ziemlich gleichförmig verlaufenden Grippeerkrankung hat mich der Erfolg der homöopathischen Mittel überzeugt. Bei Grippe ist oft der Erreger wichtiger als die Eigenart des Kranken, so daß man bei einer Epidemie das passende Mittel anhand der gleichförmigen Symptome bestimmen kann. Das ist bei einer Massenerkrankung wichtig. Es genügt in diesem Fall oft, daß Sie sich das augenblickliche Grippemittel von Ihrem Hausarzt sagen lassen, um es im Notfall bereit zu haben. Vielleicht ist es eines der drei typischen Grippemittel, die ich Ihnen vorstelle, um Ihren Blick für das Übereinstimmende und Unterscheidende der Grippesymptome zu schärfen.

▶ Gelsemium (Gels., Wilder Jasmin)

Die Erkrankung beginnt mit Fieber: Frösteln, Frostschauer über den Rücken, Zittern und Zähneklappern. Der Schüttelfrost kann sehr heftig sein und ist für Gelsemium besonders auffällig, wenn dabei kein Fieber besteht. Der Kranke hat Gliederschmerzen, fühlt sich wie zerschlagen, schwach, hinfällig, zittrig; bei zunehmender Erkrankung geht die anfangs manchmal vorhandene kurze Erregungsphase in Benommenheit und Schläfrigkeit über. Dabei ist das Gesicht dunkelrot, auch fleckig, der Kopf ist sichtbar mit Blut »gefüllt«. Die Kopfschmerzen, die als Kopfvergrößerung und wie ein Band um den Kopf empfunden werden, stehen im Vordergrund, daher der Name »Kopfgrippe«. Die Augen schmerzen, Sehstörungen treten auf, und die Lider hängen herab. Die Krankheit wird oft durch feucht-heißes Wetter ausgelöst (Sommergrippe), durch plötzliche Abkühlung nach Überhitzung. Sommerhitze, Sonne und Wärme verschlechtern den Zustand. Die Krankheit ist nachmittags und abends am schlimmsten. Alkohol und Schweißausbruch bessern.

Gegenüber den Kopfschmerzen treten die Krankheitszeichen an den Atemwegen in den Hintergrund: wäßriger, brennender, wundmachender Schnupfen, Niesen, nichteitrige Nebenhöhlenentzündung, Rachenbrennen, Schluckstörungen, die durch warme Getränke schlimmer werden. Die Absonderung aus den Bronchien ist gering, Atmung und Puls sind verlangsamt, man hat das Gefühl einer »Last auf der Brust«.

Gabe: Gelsemium D12 Tabl., 2mal 1 Tabl.

Bei der Gelsemium-Grippe sind Magenstörungen kaum auffällig; nervöser Stuhl- und Harndrang nach Aufregungen ist für Gelsemium kennzeichnend.

▶ Eupatorium perfoliatum (Eup-p., Wasserhanf)

Das Fieber beginnt oder verschlimmert sich morgens zwischen sieben und neun Uhr. Es fängt oft mit Erbrechen an, dann folgen Kälteschauer und ein langdauerndes Hitzestadium ohne viel Schweiß. In der Fieberhitze schläft der Kranke. Er verlangt warme Decken; aufdecken verschlimmert. Im Fieber besteht allgemeine Zerschlagenheit und Schmerzhaftigkeit der Glieder, periodische Kopfschmerzen und Berührungsempfindlichkeit der Augen.

Im Vordergrund steht die heftige Entzündung der oberen und tieferen Atemwege (Tracheobronchitis, »Lungengrippe«). Es besteht Schnupfen, Niesen, Tränenfluß wie üblich. Der Husten ist trocken, quälend und schmerzhaft, der Luftröhrenschmerz ist schlimmer beim Einatmen kalter Luft. Der Husten ist schlimmer in Rückenlage und nachts. Der Kranke fühlt sich leidlich in Knie-Brustlage, wenn er dabei den Kopf in die Kissen drückt. Wenn die Entzündung tiefer geht, kommt es zur Lungenentzündung, vorwiegend rechts.

Gabe: Eupatorium perfoliatum D4 Tabl., 5mal 1 Tabl. tgl.

▶ Rhus toxicodendron (Rhus-t., Giftsumach)

Der Fieberzustand ist gekennzeichnet durch Erschöpfung und Benommenheit sowie durch Unruhe. Die Krankheit erscheint meist als Folge von Nässe, Kälte oder Überanstrengung. Der Kranke ist hoch empfindlich gegen den kleinsten Luftzug, er schaudert beim Aufdecken, und schon das Entblößen der Arme kann einen Hustenanfall auslösen. Er friert sogar in Bewegung, selbst in warmer Kleidung kann er im Gehen im kalten Wind nicht warm werden. Der Kranke neigt zu Fieberdelirien, in denen es meist um schwere körperliche Arbeit geht.

Im Vordergrund stehen die Gliederschmerzen, die sich in Ruhe verschlimmern und den Kranken zwingen, sich dauernd zu bewegen. Die Unruhe ist so groß wie bei Aconit, bei dem aber die Angst im Vordergrund steht, bei Rhus toxicodendron dagegen die Gliederschmerzen, die sich durch Bewegung bessern. Am Anfang der Bewegung werden die Schmerzen zunächst stärker, lassen aber bei weiteren Bewegungen nach. Glieder, auf denen der Kranke liegt, werden leicht taub, »schlafen ein«, sie schmerzen beim Wiederbeginn der Bewegung, Wärme, Massage, Reiben und Schweißausbruch bessern.

Diese »neuralgische Grippe« von Rhus toxicodendron hat die Gliederschmerzen mit den übrigen Krankheitsbildern gemeinsam. Daß sie sich bei Bewegung bessern, unterscheidet sie von den Eupatorium- und Gelsemium-Gliederschmerzen, die sich durch Bewegung entweder verschlechtern oder nicht bessern. Im Rhus toxicodendron-Bild fehlt die Tracheobronchitis weitgehend, die für Eupatorium perfoliatum kennzeichnend ist.
Gabe: Rhus toxicodendron D6 Tabl., alle 2 Stunden 1 Tabl., oder Rhus toxicodendron D30 Tabl., 1-2mal tgl. 1 Tabl.

Die Einigung der Lebenskreise

Die Sphären *(s.S. 108)* sind verschieden, gehören aber zusammen. Die physikalische und soziale (äußere) Sphäre begegnet im Bewußtsein der (inneren) seelisch-geistigen Sphäre. Dem einzelnen ist aufgegeben, diese Sphären zu einigen.

Natur und Geist sind ergänzungsbedürftig. Der Geist hilft der Natur, wo ihre Möglichkeiten aufhören - denken Sie z.B. an einen Bären im Winterschlaf, der bei ungünstiger Lage an der eigenen Kohlensäureansammlung sterben würde -, kann ihr durch Unverstand aber auch unlösbare Probleme stellen. Ein befriedigendes Zusammenwirken ist nur möglich, wenn das Bewußtsein die Naturbedürfnisse beachten lernt. Gibt das Bewußtsein Notfall-Alarm *(vgl. S. 129),* so steigert Adrenalin den Blutumlauf, erweitert die Atemwege und erhöht die Kohlensäureabgabe; bleibt die vorgesehene erhöhte Kohlensäurebildung aus, so verursacht die Überatmung einen Überschuß an Alkali (Alkalose) im Blut und damit Muskelkrampf (Tetanie).

Erkennt das Bewußtsein einen Stoff, Geruch usw. als fremd, so bildet der Organismus Antikörper, die später Überempfindlichkeit (Allergie) bewirken. Was fremd ist, wird durch die Einstellung entschieden, - nicht einfach willkürlich, aber doch aus Mangel an Toleranz manchmal ungenau, und das schadet dem Ganzen.

Schließlich wirkt der Mensch in die Luftwelt hinein durch Sprache und Verhalten. Sind seine Äußerungen angemessen, so bewirken sie das Notwendige. Ist die Einstellung einseitig, so wirkt sie störend auf den eigenen Körper und auf die Welt. Wer verstanden hat, wie wichtig die genaue Abstimmung von Natur und Geist ist, wird die Grundausbildung dankbar annehmen, die die Natur im Zusammenwirken von Atmung und Willen angeboten hat. Das Individuum muß atmen lernen, daß die Willkür auf das Notwendige beschränkt wird, ohne die Lebensbedürfnisse zu schmälern. Vielleicht müssen wir nicht Atemübungen machen wie die Inder (Yoga), sondern unsere eigenen Wege gehen. Aber wir dürfen uns nicht »kraft Willens« an die Atemübungen machen, sondern damit anfangen, daß wir dem Atem des Neugeborenen oder eines Tieres still zuhören und zuschauen, - und dann auf den eigenen Atem hören. Wir werden schrittweise lernen, was wir erfahren müssen, wenn nur die Gesinnung recht ist (Gleichordnung).

Je mehr sich Natur und Geist ergänzen, desto besser für das Leben.

Das gestörte Herz-Kreislauf-System

Die »Blutwelt« ist ein geschlossenes, eigengesetzliches System, abgegrenzt von allen übrigen Systemen. Die körperliche »Mitte« des Lebens ist das Herz. Was der Mensch selbst unmittelbar mit seinem Herzen erlebt, spiegelt sein Verhältnis zur Natur. Im Märchen hat man schon früher das lebendige Herz durch ein »kaltes« ersetzt; heute sind wir technisch tatsächlich dazu in der Lage, ohne allerdings das Hauptproblem des menschlichen Herzens *(Einstein)* gelöst zu haben.

Der Lebenskreis des Blutes. Im Bereich der Herz-Kreislauf-Erkrankungen erleben wir den Gegensatz zwischen technischem und natürlichem Denken am deutlichsten.

Aus technischer Sicht ist das Herz eine Pumpe, die das Blut durch das Röhrensystem der Gefäße an den Ort des Verbrauches treibt, von wo die mit Schlackenstoffen beladene Flüssigkeit zur Pumpe zurückkehrt, um in der Lunge - nach Kohlensäureabgabe und mit Sauerstoff aufgeladen - erneut den Kreislauf zu beginnen. Der Gedanke liegt nahe, die ausgeleierte Pumpe durch eine neue zu ersetzen, entweder durch ein anderes Herz (Transplantation) oder durch einen technischen Herzersatz. Wenn die Zündung am Herzen gestört ist, baut man einen Schrittmacher ein. Ist das Röhrensystem an einer Stelle verstopft oder sonst beschädigt, so entfernt man den Stopfen (Embolus) oder man wechselt den unbrauchbaren Gefäßabschnitt aus. Ist - wie bei den Krampfadern - die Strombahn zu weit, so kann man sie teilweise ausschalten (veröden, unterbinden) oder durch elastische Binden zusammendrücken.

Für den Gesamtverstand sieht das Herz anders aus. In der Sprache ist das Herz der Mittelpunkt all dessen, was den Menschen an Stimmungen erfaßt. Bei jedem Stimmungswechsel ist die Herztätigkeit verändert. Angst, Freude, Trauer, Zorn und Wut werden zuerst am Herzen empfunden, es tritt als »springender Punkt« ins Bewußtsein. Stimmungen werden vom »Blutkreis« vermittelt und sie bereiten die nächste Bewegung vor. Aus den E-Motionen entspringt die Tat (Tätigkeit).

In der einigen Stimmung (Liebe, Eintracht) sind alle menschlichen Einzelkräfte zu einer ganzen Kraft vereinigt. Solange der Mensch im Zweifel ist, soll er nicht handeln, da seine Organe sonst unter widersprüchlichen Informationen (Impulsen) leiden, die die Leistung vermindern, die »innere Reibung« erhöhen. Mißverständnisse, Fehler, Erschöpfung und Abnutzung durch Nichterholen sind die Folge. Die Vorherrschaft des Willens verstößt gegen die Eigengesetzlichkeit der anderen Lebensmächte, die ihre Einwände im Bewußtsein anmelden, z.B. Sozialgefühle, Empfindungen, Vorstellungen, Stimmungen). Das Verhältnis des Menschen zu diesen Lebensmächten kann dadurch gestört sein, daß das Bewußtsein sich über deren Widersprüche hinwegsetzt, dem Willen des Blutes Widerstand leistet und ihn verdrängt. Das Bewußtsein kann sich auch zum »Handlanger« der Natur machen lassen *(Kirke).* In beiden Fällen kann die Gleichordnungsstörung zu Krankheiten führen.

In der lebendigen Wirklichkeit kann man sich nicht auf mechanische Gesichtspunkte beschränken. Das Blutsystem entwickelte sich zu einem unübersehbar komplexen Gebilde, das in dauernder rhythmischer Bewegung ist und im Unterschied zu den anderen Organen einer festen Struktur im üblichen Sinn entbehrt. Zwar weiß man heute, daß auch der Grundstoff des Blutes, das Wasser, seine regelhafte »flüssige« Struktur hat, die durch Spuren jedes gelösten Stoffes verändert wird, und daß alle im Blut vorhandenen Stoffe in Wechselwirkung zueinander stehen, wenn sie nicht durch besondere Grenzen von einander geschieden sind *(s. S. 139).* Aber das Bewußtsein für die Bedeutung dieser Zusammenhänge und Abstände ist noch schwach entwickelt, sonst würde man nicht meinen, man habe im ganzen etwas gebessert, wenn man den Blutspiegelwert eines einzelnen Stoffes »normalisiert« hat.

Die Aufgaben des Blutsystems. Die 5 l Blut, die der Mensch durchschnittlich hat, enthalten 25 Billionen roter Blutkörperchen, die Sauerstoff zu- und Kohlensäure abführen. Da diese Blutkörpchen nur wenige Monate leben, müssen täglich Milliarden roter Blutkörperchen aufgelöst und neu gebildet werden. Die entsprechende Zahl der weißen Blutkörperchen beträgt 25 bis 50 Milliarden. Sie haben zusammen mit den Uferzellen der Strombahn (Gefäßendothel) die Aufgabe, alle Eiweißstoffe zu erkennen und aufzulösen oder auszuscheiden, die von der eigentümlichen Eiweißstruktur des Einzelwesens abweichen. Diesem Blutreinigungssystem ist die Lymphorganisation vorgeschaltet, die die Zwischengewebsflüssigkeit (insgesamt 16 l) filtriert und in das Venensystem einleitet; die Zellen dieser Systeme entstammen den Bindegewebszellen des kolloidalen Grundgewebes. Etwa 1 Billion Blutgerinnungskörperchen (Thrombozyten) haben die Aufgabe, beim Verschluß des verletzten Blutgefäßsystem mitzuwirken; wenn sie fehlen, kommt es schnell zu lebensgefährlichen Blutungen (z.B. Bluterkrankheit).

Außer den festen Blutbestandteilen (Blutkörperchen) enthält die Blutflüssigkeit eine große Zahl der verschiedensten Nährstoffe (Zucker, Eiweiß, Fettstoffe), Minerale, Vitamine, Zwischenstoffwechselprodukte und Endstoffe, die ausgeschieden werden müssen *(s. S. 139).*

Mit dem Blut wird eine unübersehbare Zahl von Nachrichtenstoffen verbreitet, hauptsächlich Hormone, die von besonders eingestellten Empfängern (spezifische Rezeptoren) aufgenommen werden, wodurch örtlich oder auf dem Umweg über das Zentralnervensystem entsprechende Bewegungen des

Lebendigen ausgelöst werden. Zunehmend wird die Bedeutung erkannt, die der Nachricht (Information) in der Natur zukommt. Einerseits muß das Einzelwesen sein Inneres von fremden Störungen freihalten, andererseits muß es die Mitteilung des anderen wahrnehmen und verstehen, um sich im Rahmen des Ganzen abgestimmt recht verhalten zu können (Anpassung). Obwohl das Gefäßsystem geschlossen ist, dringen immer wieder von außen fremde Stoffe und fremde Lebewesen (Viren, Bakterien, Pilze) in das Blutsystem ein, was man mit dem gut gewählten Wort der Blutvergiftung bezeichnen kann. Dem Schlagwort von der Umweltverschmutzung entsprechend könnte man auch von »Innenweltverschmutzung« reden. Wenn ein Organismus nicht nur vorübergehend, sondern dauernd durch Fremdstoffe verunreinigt wird, spricht man in der Homöopathie von »dyskrasischer oder lithämischer Diathese«, die der destruktiven Diathese (Krebs) vorausgeht.

Wenn man dieses ganzheitliche, dauernd in Bewegung befindliche, sich auch in seiner Struktur fortwährend verändernde Blutsystem vor Augen hat, so wundert man sich, daß ein Mensch mit seinem doch sehr bruchstückhaften Wissen es wagt, hier an einzelnen Punkten mit Blockern oder Erregungsmitteln einzugreifen, die unvermeidliche und unberechenbare Störungen, Nebenwirkungen an anderen Orten zur Folge haben müssen. Da man dies weiß, darf man nicht warten bis der Schaden beweisbar ist. Man muß dem Problem nachgehen.

> Das menschliche Bewußtsein steht in dauernder Wechselwirkung mit dieser »Blutwelt«. Einerseits wird das Bewußtsein durch Gefühle, Stimmungen und Affekte in einer bestimmten Richtung beeinflußt, wobei nicht vergessen werden darf, daß diese Stimmungen oft aus nicht bewußten Bereichen entspringen. Andererseits hat zwar der Wille keinen unmittelbaren Einfluß auf die Tätigkeit des Herz-Kreislauf-Systems, aber über Vorstellungen, Glaubensüberzeugungen, Einstellungen werden die vegetativen Leistungen angeregt.

Erwartungsspannung

Arnzeibilder

▶ Argentum nitricum (Arg-n.)

Vor der nächsten Aufgabe, Prüfung oder Unternehmung gerät mancher Mensch in eine übertriebene Erwartungsspannung (Vorfreude, Erwartungsangst). Er bekommt Herzklopfen, wird hastig, aufgeregt, sein Blutdruck steigt, er kann nicht mehr richtig atmen (»Atmungskorsett« = Gefühl, als ob er nicht genug Luft kriege), es drängt ihn wiederholt zum Wasserlassen oder Stuhlgang (Arg-n). In diesem Fall weiß der Kranke, woher das Herzklopfen kommt; wenn die gleichartige Angst aus dem Unbewußten entspringt, so weiß er nicht, woher die Symptome kommen; Angstsyndrom.

Ähnliche Krankheitszeichen wie sie vor aufregenden Unternehmungen auftreten (Sil., Lyc., Arg-n.), kommen auch *nach* lebensgefährlichen Ereignissen vor. Das bekannteste Angstsymptom ist das unwillkürliche Zittern, wie es von den »Kriegszitterern« im Ersten Weltkrieg bekannt ist. Wieder kann die Symptomatik unabhängig von einem äußeren Ereignis auftreten und beruht dann auf unbewußten Ursachen.

Praktisches Beispiel: Der »Anfall«

▶ Gelsemium

Eine etwa 40jährige Frau bekam meist während der Periode Anfälle in folgender Form:

1. Phase (Dauer etwa 15 Minuten):
Wacht um 23.00 Uhr auf mit Angst vor dem »Anfall«. Sie merkt schon im Halbschlaf, daß dieser kommt, und fürchtet sich davor. Mit dem Erwachen ist ihr schlecht, sie ist bleich, schwach, erbricht, hat Durchfall und Harndrang zugleich.

2. Phase (Dauer etwa 1 Stunde:)
Trotz äußerster Erschöpfung kann sie sich unter keinen Umständen hinlegen, weil sonst »alles aufhört«. Der Zustand ist unerträglich und beängstigend. Sie kann nicht mehr (»das halte ich nicht aus«), aber sie kann sich auch nicht hinlegen, weil sie sonst »sterben müsse« (Gels. muß sich ununterbrochen bewegen , weil sonst das Herz aufhört zu schlagen).

3. Phase (Dauer 1 Stunde):
Sie kann sich jetzt hinlegen, friert, zittert sehr und klappert mit den Zähnen. Sie regt sich auf, daß die Angehörigen dauernd fragen – antworten kann sie nicht, weil sie von der Krankheit völlig beansprucht ist –, aber allein kann sie auch nicht bleiben. Alle Augenblicke ganz helles Wasser (Harnflut).

4. Phase (Dauer einen halben bis einen Tag):
Das Zittern hört auf. Manchmal ist sie »wie benommen«, als ob sie schlafen würde und muß ganz ruhig liegen bleiben. Hat Verlangen nach Stille und Alleinsein, Bewegung verschlimmert. Am anderen Morgen hat sic Kopfweh bis in die Zähne, Augenweh, Nackenschmerz, ist überempfindlich gegen Gerüche und hat erneut Brechreiz. Sie ist zittrig, schwach, hat Herzklopfen, das sich beim Drandenken verschlimmert.

Nach Gelsenium LM VI bis LM XXX trat drei Jahre kein Anfall mehr auf, jedoch erschien die vorher mir unbekannte, mit Nebennierenrindenhormonsalbe behandelte Schuppenflechte (Psoriasis) wieder.

An diesem Krankheitsbild tritt die Aufeinanderfolge der entgegengesetzten Symptome deutlich heraus. Das Arzneimittel wurde nach dem Hauptsymptom gewählt (darf sich nicht hinlegen, weil sonst alles aufhört). Am nächsten Tag verschlimmert sich der Zustand, wenn der Kranke sich bewegt. Man kann daran sehen, wie wichtig das genaue Erfassen des ganzen Bildes, auch in der zeitlichen Aufeinanderfolge ist.

Herzsymptome

Folgende Herzsymptome zeigen, wie verschieden das Bewußtsein die Kreislaufstörungen erleben und beschreiben kann: Man hat das Gefühl, das Herz

- bleibe stehen, wenn man sich bewegt (Digit.) oder sich als vollblütiger Arbeiter an der Grenze der Überanstrengung bewegt (Arnica)
- hinge an einem Faden (Kal. carb.)
- schlage in der Magengrube mit Stößen, Druck hinter der Brust bis zum Hals (Puls.).

Veränderungen des Blutdrucks

Bluthochdruck (Hypertonie)

Krankheitserscheinungen am Blutsystem treten auf, wenn dieses willkürlich oder unwillkürlich überfordert wird. Immer, wenn eine lebensgefährliche Lage entsteht, kommt es zur sogenannten Alarmreaktion mit Herzklopfen, erhöhtem Blutdruck, erhöhter Muskelspannung. Diese Symptome kennen Sie schon vom Angstsyndrom, *(S. 128)* einer Sonderform der Alarmsituation. Durch Falschverhalten, vor allem dadurch, daß man sich immer wieder willkürlich in lebensgefährliche Unternehmungen stürzt oder wegen falscher Vorstellungen übermäßige Leistungen erzwingt, klingt die Drucksteigerung von einem Alarm zum nächsten nicht mehr ab, so daß es zur dauerhaften Blutdrucksteigerung kommt, die nachfolgend zu Gefäßschädigungen führt.

Arzneimittel

▶ **Aconit, Arnica, Barium carbonicum, Arsen, Sulfur, Viscum album**

Besonders gefährlich sind plötzliche Blutdrucksteigerungen bei Hochdruckkranken, die durch Aufregung, Ärger, Angst oder eine Erkältungskrankheit ausgelöst werden. Diese plötzliche, heftige Erkrankung habe ich bei Aconit schon vorgestellt.

Am Blutsystem kann sich dadurch ein Herzinfarkt oder Hirnschlag ankündigen; ein besonders auffallendes Symptom von Aconit ist, daß der Kranke ankündigt, seine Todesstunde sei nahe. Geben Sie in diesem Fall sofort alle 10 Minuten Aconit D6 Kügelchen. Dadurch soll natürlich nicht der Arzt erspart werden.

Ein weiteres wichtiges Mittel für den *roten* Hochdruck (Gesicht rot) ist Arnica. Es wirkt bei jeder Verletzung des Blutsystems und bei langdauernden Überanstrengungen. Sulfur ist ebenfalls ein Mittel für den roten Hochdruck.

Barium carbonicum und Arsen sind Arzneimittel für den *blassen* Hochdruck. Die Gesichtsfarbe ist allerdings nicht immer entscheidend; so ist die Kranke, die ich Ihnen als Barium carbonicum-Fall beschrieben habe, dauernd rot. Für den Bluthochdruck wirkt oft Viscum album D2, 3mal tgl. 1 Tabl. gut; man gibt es über längere Zeit.

Die Veränderungen, die der Hochdruck am Blutgefäßsystem hervorruft, sind kein unabwendbares Schicksal, sondern in vielen Fällen umkehrbar, jedoch ist es eine falsche Vorstellung, dabei Tabletten für ausreichend zu halten. Was man in der Technik Abnützung heißt, gibt es bei lebendigen Wesen nur, wenn man die Heilung eingetretener Schäden durch eine sture Fortsetzung des bisherigen Falschverhaltens unmöglich macht. Das Krankheitssymptom ist ein Signal an das menschliche Bewußtsein, das so lange suchen muß, bis es die ursächliche Fehleinstellung findet und das sich daraus ergebende Falschverhalten zum Besseren geändert hat.

Niedriger Blutdruck (Hypotonie)

Die andere Seite der ungenügenden Blutsystemleistung ist der niedrige Blutdruck der dem Hochdruck vorausgehen oder folgen kann. Das Kreislaufversagen (Kollaps) wird im folgenden am Bild von Veratrum album vorgestellt.

Arzneibilder

▶ Veratrum album (Verat., weiße Nieswurz)

Im Mittelpunkt dieses Arzneimittelbildes steht die Kreislaufschwäche. Zwar kann am Anfang eine übermäßige, unwiderstehliche Geschäftigkeit auftreten mit trockenem Mund, schnellem Puls, Gesichtsröte und Brennen im Hals. Im weiteren Verlauf wird der Puls schwach und kaum fühlbar oder langsam. Die Nägel werden blau und kalt, eine große Schwäche überkommt den Kranken, er muß sich hinlegen, fühlt sich frostig, dazu bricht kalter Schweiß aus. Bei großer Übelkeit und äußerstem Elendsgefühl gibt es große Wasserverluste

infolge Erbrechen und Durchfall, die der Durst nach kaltem Wasser nicht ausgleichen kann. Die Flüssigkeitsverluste bedingen ein eingefallenes, blasses Gesicht und Wadenkrämpfe. Die Störung ist mit Schwindel, selten auch mit epileptischen Anfällen verbunden. Heftige Unruhe, Wahnvorstellungen und religiöse Verfolgungsideen treiben den Kranken und die Angehörigen manchmal zur Verzweiflung.
Gabe: Bei Kreislaufschwäche mit kaltem Schweiß und Durchfällen Veratrum album D6, 3mal 1 Tabl. Zur Vorbeugung bei Kollapsneigung 1 Tabl.

Bei schweren Erkrankungsformen müssen Sie einen Arzt rufen

▶ Crataegus Urtinktur (Weißdorn)

Crataegus kann den erhöhten Blutdruck entlasten und den erniedrigten anheben. Wenn Herzschwäche, Herzklopfen, unregelmäßiger oder verlangsamter Puls den alternden Menschen beunruhigen, man krampfhafte Schmerzen in der Herzgegend hat oder Brustbeklemmungen, schlecht schläft, gereizt, ängstlich und gedrückt ist, dann ist Crataegus Urtinktur 3mal 5–20 Tropfen ein gutes Mittel. Es wird unterstützt oder ergänzt durch Cactus D2 Tabl. (oder Myrtillocactus Urtinktur). Dessen Hauptsymptome sind ein Gefühl, als ob das Herz zusammengeschnürt wird, zusammengekrampft sei, oder ein eisernes Band die normale Bewegung hindere, sowie ausstrahlender Schmerz in den linken Arm.
Gabe: 3mal 1 Tabl. über längere Zeit.
Bewährte Volksmittel (Goldtropfen-Diacard oder Korodin) enthalten Crataegus meist zusammen mit Cactus, Veratrum album oder Camphora.

Das Krampfaderbein (Chronisch-venöse Insuffizienz)

Die wichtigsten »Ursachen«

Man sagt, die Krampfadern seien vererbt; die Großmutter oder ein Onkel haben sie auch gehabt. Das Erbe haben wir mitbekommen, was wir daraus machen, ist *unsere* Sache. Die Entwicklung der Krampfadern fängt beim Säugling an: Wir umwickeln den Leib fest mit der Nabelbinde. Dadurch behindern wir die Atmung und erschweren den Rückfluß des Blutes aus dem unteren Körperbereich. Auch beim Erwachsenen wird durch Bauchbinden, Mieder, Gürtel, Kniebund, Ärmel- und Sockenhalter der Blutlauf erschwert, obwohl das Blutsystem *ohne* zusätzliche Behinderung ausgelastet ist.

Außer dem vollen Blutstrom und der vollen Atmung (Bauch-, Brust- und Flankenatmung) brauchen wir auch vollwertige Kost, natürliche, schlackenreiche Nahrung, die der Verstopfung vorbeugt. Verstopfung behindert nicht nur den Pfortaderkreislauf, sondern auch den venösen Rückstrom aus den Beinen. Mangelhafte Eigenbewegungen, hauptsächlich durch unsere Vorliebe für Autofahren, verschlechtert die Durchblutung des Beines ebenso wie plötzliche sportliche Hochleistungen (Arn., Rhus-t.), die auch dann als Kleinstverletzungen zu werten sind, wenn wir sie nicht sehen können (Beinverletzungen der Fußballspieler, Mikrotraumen, Mikrothrombosen). Wenn ich einen ganzen Tag am Schreibtisch sitze, habe ich geschwollene Beine. Im Krieg habe ich bei jungen gesunden Soldaten nicht selten nach Rückkehr vom Urlaub dick geschwollene Beine gesehen: Folge von tagelangem Sitzen in überfüllten Zügen. Die Gefäßreize, die von uns durch unsere Kleider- und Heizmoden fern gehalten werden, können wir durch Kaltduschen der Beine ausgleichen. Denken Sie einen Augenblick daran, daß die ganze Tierwelt auch im Hochwinter barfuß läuft, und denken Sie nach, wie Sie wenigstens einen Teil der fern gehaltenen natürlichen Temperaturreize nachholen können. Ein weiterer, von uns beeinflußter Faktor für die Krampfaderbildung ist Bettruhe. Aus meiner Jugend erinnere ich mich an eine Münchener Statistik, nach der 60 von 100 Krankenhauspatienten Thrombosen hatten, wenn sie länger als drei Wochen im Bett lagen. Bei entsprechender Bereitschaft genügt manchmal schon eine Autofahrt von 15 Minuten - eingeklemmt zwischen engen Sitzen -, um eine akute Venenentzündung auszulösen. Daß im Krankenhaus neben der Bettruhe die Krankheit selbst und vor allem die Operationswunde eine große Rolle spielt, ist außer Zweifel; deshalb wird das vorbeugende Binden der Beine jetzt allmählich Gewohnheit. Ich werde die Hintergründe der Thromboseneigung bei der Blutgerinnung noch kurz erklären.

Der wichtigste Grund für die Stauung der Flüssigkeit in den Beinen liegt in der Tatsache, daß Flüssigkeit grundsätzlich abwärts läuft. Deshalb sollte man die Beine so hoch legen, daß die Gewebsflüssigkeit abläuft. Man prüft am besten auf der einwärts von der Schienbeinkante beginnenden Schienbeinfläche: bleibt dort nach Fingerdruck eine Vertiefung, so ist das Bein nicht abgeschwollen. Die Gewebsflüssigkeit fließt über die Venen, vor allem aber über die Lymphbahnen ab. Schwellungen treten also auch auf, wenn das Gewebswasser sich staut, durch Störungen am Lymphsystem (Ödeme der Arme nach »Ausräumung« der Achselhöhlen-Lymphknoten, z.B. bei Brustkrebs). Sie können diese Vorgänge selbst beobachten, wenn Sie einmal eine Zeitlang Obst pflücken, oder aus anderen Gründen die Arme hoch halten: Ihre Hände werden ganz leer und leicht; umgekehrt werden Ihre Hände dick und schwer, wenn Sie einen Rucksack tragen, der den Flüssigkeitsstrom aus den Armen behindert. Die Lymphflüssigkeit folgt den gleichen mechanischen Gesetzen wie der Blutstrom: Der Abfluß wird durch Hochheben erleichtert, durch Herabhängen erschwert (Puls.: Herabhängen verschlechtert). Wegen des verlangsamten Blutstromes sind die Beine in diesen Fällen, besonders die Füße, kalt bis eiskalt während des Tages. Nachts werden die hochgelegten Füße heiß, so daß man sie aus dem Bett strecken muß (bes. bei

Sulf. und Sep., aber auch bei allen anderen Venenmitteln). Bei Verletzung im Lymphsystem fließt nach außen Gewebsflüssigkeit ab, wie aus einem verletzten Blutgefäß. Wenn große Mengen Gewebsflüssigkeit abgehen, z.B. bei Unterschenkelgeschwüren, so kommt es zu »Säfteverlusten« des Körpers (Chin., Natr. mur.).

Krankheitszeichen

Die sichtbaren Venenerweiterungen und die Schwellungen (Beinödeme) habe ich schon erwähnt. Bei Entzündungen ist die Haut gerötet. Bestehen schon länger Ernährungsstörungen, so wird die Haut hell- bis schwarzbraun und fleckig. Die Formen der Geschwüre reichen von flach bis tief, sauber bis schmierig, trocken bis feucht, scharfrandig bis unscharf, druck- und berührungsempfindlich oder unempfindlich, sie sind schmerzhaft am Ort oder in den zugehörigen Nervenbereichen, rot oder blaßblau. Im allgemeinen lassen die Schmerzen nach, wenn das Bein hochgelegt wird; sie kommen wieder, wenn der Kranke versucht zu gehen. Wenn Hochlegen den Schmerz steigert, ist meist die Schlagaderdurchblutung vermindert und Fachuntersuchung notwendig. In der Umgebung der Geschwüre und oft auch über den Krampfadern ist die Haut entzündet. Sie juckt meist heftig und ist nicht selten durch Bakterien und Pilze zusätzlich gereizt. Der Ausschlag kann sich vom Bein über die ganze Haut ausbreiten. Dann wird der Kranke durch den Juckreiz sehr gequält.

Behandlung

Allgemeine Behandlungsregeln. Die Behandlung zielt darauf ab, die Stauung zu beheben, entweder durch Hochlegen des Beines oder durch einen elastischen Verband, der die fehlende Venenspannung künstlich ersetzt. In diesem Fall kann der Kranke gehen, sonst muß er liegen.

Die gereizte Haut verträgt Salben, Umschläge, Puder usw. nicht; die heute üblichen Nebennierenrindenhormon-Salben (Kortison) reichen in vielen Fällen nicht aus, den Ausschlag zu unterdrücken.

Heilend wirken nach meiner Erfahrung die handgemachte 20%ige Ichthyolvaseline, Pasta Zinci mollis (weiche Zinkpaste) und Unguentum nigrum (Ungt. nigr.) als Überhäutungsmittel. Die Ichthyolsalbe ist angezeigt für die schmierigen entzündlichen Geschwüre, die zu Beginn auftreten. Sobald Absonderungen heller und die Geschwüre am Grunde rot (sauber) werden, decke ich die Umgebung mit Zinkpaste ab; über das Geschwür selber kommt eine dünne Ungt. nigr.-Schicht.

Auch diese Salben sind nicht in jedem Fall verträglich, deshalb prüfe ich die Verträglichkeit *immer* 1–2 Tage an einem kleinen Hautfleck. Sie sind auch nicht unbedingt erforderlich. Von entscheidender Bedeutung ist der Druckverband.

Der Druckverband (Kompressionsverband). Der Druckverband ist die einfachste Möglichkeit, das Bein entstaut zu halten, daß der Kranke gehen und meist auch arbeiten kann. Ich mache in schweren Fällen Dauerverbände auf Zinkleimgrundlage, damit sie nicht rutschen. In leichten Fällen genügt der Gummistrumpf oder ein Verband, den der Kranke selbst anlegen kann, wenn er die dafür notwendigen Kenntnisse erworben hat. Es gibt begabte Leute, die lernen sämtliche Verbände in zwei Abendstunden - ich habe sieben Jahre gebraucht. Der Verbanddruck muß von unten nach oben *ab*nehmen, da es zu Stauungen kommt, wenn oben *mehr* Druck darauf ist als auf der ersten Wikkelung unten. Wenn man zwei Binden überkreuz wickelt, werden Fehler im Druck eher ausgeglichen. Hochelastische Binden dürfen nachts nicht liegen bleiben, sie schnüren. Wenn die Binde richtig liegt, hat der Kranke beim Gehen ein leichtes und wohliges Gefühl anstelle der schmerzenden Schwere. Hohlräume (besonders um den Knöchel herum) müssen mit Schaumgummi oder Watte ausgefüllt werden, damit der Druck überall gleichmäßig wirkt. Mit diesen Feinheiten werden Sie kaum allein zurecht kommen. Mit einem gut sitzenden Verband heilen (alle) Geschwüre zuverlässig ab; Lungenembolien und ihre Folgen (Herzinfarkt, Hirnschlag) werden verhütet.

Ich muß noch etwas sagen, zu dem Aberglauben, der im Volk umgeht: Man müsse sterben, wenn das Geschwür zugehe. Ich habe davon nichts bemerkt; umgekehrt habe ich mehrere Dutzend Kranke sterben sehen bei offenem Bein *ohne* Verband. Der Volksmeinung mag eine Beobachtung zugrunde liegen: Früher, d.h. ohne Druckverband heilte ein (schweres) Geschwür nur ab, wenn der Kranke mehrere Wochen im Bett lag. Eine so lange Bettruhe hielt er nur ein, wenn er an einer (anderen) tödlichen Krankheit litt. Das Beingeschwür heilte ab wegen der Bettruhe und trotz der tödlichen Erkrankung. Der Denkfehler war: Der Kranke muß sterben, weil das Geschwür zugeht; man verstand nicht, warum es heilte.

Eine Frau, die mit 70 Jahren in meine Behandlung kam, nachdem sie schon 20 Jahre Beingeschwüre hatte, blieb bei Dauerverbänden bis zum Tode mit 95 Jahren frei von Beschwerden und Geschwüren. Die Bedenken meiner homöopathischen Kollegen, daß durch die Geschwürsheilung eine Absonderung unterdrückt werde, nehme ich ernst, bin jedoch folgender Meinung: Wenn mechanische Schwierigkeiten die Heilung verhindern, muß zuerst das mechanische Hindernis (die Stauung) beseitigt werden; gleichzeitig muß man die in der Natur des Kranken liegende Heilhemmung erkennen und lösen. Dazu eine Krankengeschichte.

Praktisches Beispiel: Schwermut

▶ **Graphites (Graph., Reißblei, mineralische Kohle)**

Die damals 63 Jahre alte Frau kam 1971 in meine Behandlung, weil sie seit acht Jahren Unterschenkelgeschwüre über dem Schienbein und linken Innenknöchel hatte, die nicht abheilten. Mit Zinkleim-Dauerverbänden verheilten sie in einigen Monaten. Im Herbst desselben Jahres mußte ich die Frau wegen Schwermut mit Selbstmorddrohung in ein Landeskrankenhaus überweisen, wo sie mehrere Monate behandelt wurde. Die Verbände wurden dort entfernt und die Frau mit der Anweisung entlassen, weiterhin die vorgeschriebenen Mittel gegen die Schwermut zu nehmen. Im Juli 1972 brachen die Unterschenkelgeschwüre wieder auf; es kam außerdem zu schweren Kreislaufstörungen mit Atemnot, Herzklopfen und Kollaps, die möglicherweise durch eine Embolie verursacht waren. Herzmittel halfen kaum, und die Frau weigerte sich, ins Krankenhaus zu gehen. Unter erneuten Kompressionsverbänden heilten die Geschwüre schnell, und auch die Atmungs- und Herzstörungen verschwanden so vollständig, daß die Frau wieder ihre Landwirtschaft betreiben konnte und außer den Tabletten gegen die Schwermut keine Arznei brauchte. Anfang 1978 wollte sie wegen Kreuzschmerzen ihre Wirbelsäule röntgen lassen, ging deshalb zum Orthopäden und klagte gleichzeitig über ihr linkes Sprunggelenk. Der Facharzt entfernte meinen Dauerverband, worauf die Frau eine Entzündung ähnlich der Wundrose (Erysipel) am ganzen linken Unterschenkel bekam, und als ich die Kranke wieder sah, war ein neues Geschwür unter dem Innenknöchel entstanden. Unter erneuten Verbänden heilte das Geschwür bis zum Frühjahr 1978 ab. Es schien alles beim alten zu sein, und die Frau machte ihre Feldarbeit. Im August 1978 stieß sie ihr Schienbein an und bekam nach wenigen Tagen Schmerzen und Schüttelfrost. Es fand sich ein schweres Erysipel. Das Bein war so hochempfindlich, daß es keinen Druckverband vertrug. An mehreren Stellen entstanden große Geschwüre bis zum Knie, darunter ein handgroßes über dem mittleren Schienbein. Vermutlich hätte ich aufgegeben, wenn die Frau ins Krankenhaus gegangen wäre; so machte ich eben ohne Hoffnung jeden Tag große Ichthyolsalbenverbände über den ganzen Unterschenkel. Das Bein wurde hochgelagert, wobei sich aus der Tiefe große Mengen Eiter absonderten. Schließlich vertrug die Kranke wieder Druckverbände.

Nach etwa zwei Monaten vergrößerten sich die Geschwüre nicht mehr, und ich fing an, nochmals den *ganzen* Fall zu überdenken: Die Frau war grobknochig, schwerfällig, dick und blaß. Sie hatte ihre Monatsblutung, die immer schwach gewesen war, spät bekommen. Sie litt an Verstopfung, hatte großen Appetit mit Verlangen nach sauer und Abneigung gegen Fleisch. Die Haut war derb mit riesigen Hornhautschwielen an den Füßen und mißgestalteten Zehennägeln. Sie klagte über kalte Füße, meinte, sie sei auch sonst frostig, war ängstlich besorgt und verbarg ihre Hoffnungslosigkeit hauptsächlich, um nicht wieder ins Landeskrankenhaus eingewiesen zu werden. Graphites LM VI bis LM XXX. Danach begann eine schnelle Heilung der handgroßen Geschwüre. Die Frau wurde lebhaft, war seit längerer Zeit zum ersten Mal nicht mehr bedrückt und konnte auf die Tabletten gegen die Schwermut verzichten. Die Hornhäute schälten sich von selbst ab (sie konnte wegen der Geschwüre nicht baden!) Kurz vor Weihnachten 1978 waren alle Geschwüre geheilt und die Frau beschwerdefrei.

Ich hätte 1971 bei Auftreten der Schwermut Graphites geben müssen. Leider habe ich den Zusammenhang nicht begriffen. Inzwischen kam bis 1981 kein Rückfall.

Auf »unterdrückte Absonderung« werde ich noch im Kapitel über Ausscheidung zurückkommen.

Arzneimittel bei Krampfadern

▶ **Ambra, Apis, Argentum nitricum, Arnica, Arsenicum, Aurum, Belladonna, Calcium carbonicum, Calcium fluoratum, Calcium phosphoricum, Carbo vegetabilis, Ferrum phosphoricum, Graphites, Gelsemium, Lachesis, Mercurius, Natrium muriaticum, Nux vomica, Phosphor, Pulsatilla, Rhus toxicodendron, Sepia, Silicea, Sulfur, Thuja, Zincum**

An zwei Beispielen will ich Ihnen die praktische Seite zeigen: Wenn der Mensch plötzlich mit heftigem Fieber erkrankt, Gesicht rot, unruhig, schwitzend, und er hat gleichzeitig Krampfadern, so ist das ein Grund mehr für Belladonna. Wenn er abends sehr unruhige Beine hat, die er immer bewegen muß und er hat außerdem Krampfadern, so ist das ein Grund mehr für Zincum. Aesculus, die Roßkastanie, ist in den meisten heute üblichen Venenmitteln enthalten; sie wird in der Homöopathie seit 1844 verwendet. Cuprum aceticum D12 dil., abends 10 Tropfen, ist ein bewährtes Mittel bei nächtlichen Wadenkrämpfen; Cuprum wirkt bei Krämpfen aller Art (Keuchhusten, Epilepsie).

> Die Behandlung dieser Krankheiten sollte ein Arzt durchführen.

Blutungen

Nach jeder Gefäßverletzung, ob innerlich oder äußerlich, muß das Blutsystem wieder geschlossen werden. Das geschieht durch Blutgerinnung. Gleichgültig, ob Sie die Hand anstoßen, ein Gelenk verstauchen, ob Ihnen ein Zahn gezogen wird, ob man Sie operiert, oder Sie sich auf die Zunge beißen: Immer werden Gefäße verletzt. Dabei tritt Blut aus und es kommt zu kleinen oder großen Gerinnseln (Thromben) im Gefäß. Das Gerinnsel verschließt eine Wunde, so daß kein Blut mehr austreten kann bzw. kein Fremdkörper eindringen kann. Der Nachteil des Gefäßverschlusses rings um die Wunde ist, daß der Kreislauf des Blutes behindert ist. Wenn er heilen soll, müssen die Verschlüsse wieder aufgehen, das Blut muß wieder fließen, und das geht natürlich nicht immer glatt und sauber. Leichte Blutungen am Unterschenkelgeschwür zeigen an, daß die Heilung beginnt.

Blutstillende Mittel

▶ **Aconit, Ambra, Antimonium crudum, Apis, Argentum nitricum, Arnica, Barium carbonicum, Belladonna, Bryonia, Carbo vegetabilis, Chamomilla, Cuprum, Ferrum phosphoricum, Graphites, Hamamelis, Lachesis, Mercurius, Natrium muriaticum, Nux vomica, Phosphor, Pulsatilla, Rhus toxicodendron, Sepia, Silicea, Sulfur, Thuja**

Bei Nasenbluten und Blutungen nach Zahnziehen verwende ich Phosphor (D12 oder D30) ein Mal 5 Tropfen (nicht wiederholen, nicht unter D12!) anschließend Arnica D2. Wenn der Hochfiebrige mit rotem, schwitzendem Kopf Nasenbluten bekommt, geben Sie Belladonna, wenn Sie es nicht schon wegen des Fiebers gegeben haben. Bei Knochenblutungen ist Ruta D2 das erste Mittel. Kindern mit lymphatischer Diathese, die immer wieder zu Blutungen neigen, hilft Calcium carbonicum. Bei alten entkräfteten Menschen mit Sickerblutungen, blauen Flecken bei jedem Anstoßen und blauschwarzen Krampfadern ist Carbo vegetabilis angezeigt.

> Vergleichen Sie immer wieder: Welches der angeführten Blutungsmittel paßt am besten zu diesem blutenden Menschen? Damit kann man besser vorherwissen, was helfen wird.

Arzneibild

▶ **Phosphor (Phos.)**

Phosphor ist neben Calcium und Sulfur eines unserer großen homöopathischen Mittel. Je »größer« ein Mittel ist, je tiefer und umfangreicher seine Wirkung, desto vorsichtiger müssen wir sein, desto genauer muß seine Gabe bestimmt werden. Wenn Phosphor sich mir nicht als ein so zuverlässiges Mittel bei Nasenbluten erwiesen hätte, würde ich es nicht in die Hausapotheke tun; ich warne nochmals vor häufiger Wiederholung. Phosphor sollte - auch bei Nasenbluten - *nicht* kurzfristig wiederholt werden. Wenn eine einmalige Gabe nicht für Wochen gegen das Nasenbluten hilft, dann müssen Sie ein anderes Mittel suchen.

Phosphor ist besonders angezeigt bei schnell-wachsenden, geistig aufgeweckten und körperlich zarten jungen Menschen, die gegen Sinnesreize hochempfindlich sind und schnell reagieren, auf der anderen Seite aber schnell ermüden, bei Kleinigkeiten plötzlich erschöpft sind und dann apathisch werden. Sie erholen sich auffallend schnell durch Schlaf und Essen. Sie sind voller Angst bei Alleinsein, im Dunkeln oder bei Gewitter. Der Kreislauf ist schnell erregt, sie erröten leicht, sind kitzelig (»dünne Haut«), sie bekommen leicht »blaue Flecken« (Lach., Carb-v.), kleine Wunden bluten stark.

Die Ausscheidung und ihre Störungen

Die natürliche Ausscheidung

Scheiden und Entscheiden

Die lebendige, schrittweise Bewegung beginnt mit dem *Scheiden* (unterscheiden, entscheiden, ausscheiden, abscheiden-Abschied). Der Mensch ist in Grenzen frei (relativ abgeschieden, distanziert, selb-ständig, hat Spielraum); er kann seine Aufmerksamkeit ein- und ausschalten. Dadurch unterscheidet sich die lebendige Wirklichkeit von der mechanischen Welt. Allerdings kann der Mensch seine Aufmerksamkeit in jedem Augenblick nur auf *einen* Punkt richten: »Es ist unmöglich, bewußt und überlegt gleichzeitig zwei verschiedenen Gedankengängen zu folgen« *(Sargant)*. Der Mensch kann nicht gleichzeitig überall sein und Verschiedenes machen: *eines* ist möglich. Um die neue Beziehung zu knüpfen, muß er die alte Bindung lösen, das überflüssig Gewordene loslassen, er darf den jetzt gebotenen Überfluß nicht annehmen und hat sich ganz dem zukünftigen Notwendigen zu widmen, (dabei das Eine ins Auge fassen, kritisch auswählen, begreifen, erfassen, verstehen, festhalten). Das ist sein wesentliches Vermögen und seine eigentliche Aufgabe.

Die Entscheidung braucht Zeit, die allerdings nicht unbegrenzt ist. Technisch setzt man sich mit *einem* Hieb auseinander; menschlich ist die *geistige* Auseinander- und Zusammensetzung, bei der mit Gewalt nichts Fruchtbares erreicht wird *(Paracelsus)*. Schrittweise wie die Wirklichkeit erscheint, muß man ihr folgen, und dabei vergangene Orte, Zeiten und Gewohnheiten hinter sich lassen.

Wer dem Sinn folgt, scheidet das Überflüssige aus, gemäß der Einstellung: weniger ist mehr. Man verliert Lasten und Schlacken. Nur wer sich mit der Wirklichkeit verwandelt, bleibt mit ihr verwandt *(Nietzsche)*. Ich denke: eines ist wichtiger als das andere; dem Menschen reicht es *nicht* gleichzeitig zum Notwendigen und zum Überflüssigen; man muß »Prioritäten« setzen, zuerst das Notwendige, das übrige ergibt sich von selbst.

Seiner Entscheidung muß man bis zum Ende folgen. Erst wenn man die jetzige Aufgabe vollendet hat, wird man für die nächste Aufgabe frei.

> Wer die Aufgabe abwählt, versäumt die entsprechende Entwicklung seiner Fähigkeiten. Dadurch scheidet der Mensch sich selber aus (Selektion nach *Darwin)*.

Die körperliche Ausscheidung

Einerseits nimmt die lebendige Einheit Nachrichten, Stoffe und Kräfte von ihrer Umgebung auf, andererseits gibt sie diese an die Umgebung ab. Das alles wird durch die Haut vermittelt. Sie ist die Grenzmembran, die das Lebendige mit seiner Umgebung verbindet, aber es auch von ihr scheidet.

Die Absonderung. Haut und Schleimhaut sondern ab. Die Hautabsonderung, bekannt als Schweiß- und Talgdrüsenabsonderung, ist teils eine Ausscheidung von Abfallstoffen, teils lebenswichtige Leistung, um die Haut gesund zu halten. Das Leben kennt unsere Arbeitsteilung *nicht,* es hat zwar genaue Ziele, aber auf dem Weg dahin leistet es alles übrige mit. So produzieren die Drüsen von Schleimhäuten und Magen-Darm Stoffe zur Verdauung und solche, die mit den Verdauungssäften ausgeschieden werden sollen. Wir begegnen der gleichen Erscheinung bei der Nierenleistung. Alle für den Lebens-»Betrieb« notwendigen Stoffe werden nach Absonderung wieder aufgenommen und neu verwendet. Das Leben ist sparsam, auch wenn einige unvermeidliche Verluste eintreten: Was im Enddarm angekommen ist, wird mit dem Stuhl ausgeschieden.

Dringen fremde Gebilde in das Körperinnere ein, so wird die Ordnung gestört und der Mensch wird krank. Deshalb hat jedes Lebewesen seinen eigenen »Unterscheidungs«- und »Ausscheidungsdienst« des Immunsystems. Je genauer das Fremde vom Zugehörigen unterschieden und von der eigenen Ordnung ferngehalten oder entfernt wird, desto wirksamer erfüllt das Leben seine Aufgabe. Kann das Lebendige die Fremdkörper - auch Neubildungen im eigenen Körper - nicht mehr erkennen und entfernen, so ist die Auflösung des Ganzen unvermeidlich.

Nierenleistung. Die Nieren sondern täglich 1–2 l Harn ab, in denen die Stoffe gelöst sind, die ausgeschieden werden. Durch den Harn werden die meisten löslichen Stoffe ausgeschieden, die im Körper nicht gebraucht werden oder stören, z. B. Harnstoff und Harnsäure, die zur Stickstoff-Düngung der Pflanzen dienen, sowie die meisten chemischen Mittel, die der Mensch über Magen-Darm aufnimmt. Sind die natürlichen Lösungsverhältnisse in den Nieren und auch in den übrigen Absonderungsorganen, z. B. Gallenblase und Speicheldrüsen gestört, so fallen die gelösten Stoffe teilweise aus und bilden Steine (Auskristallisierungen).

Um Keime fernzuhalten, ist eine saure Reaktion günstig. Das gilt auch für die Haut. Außerdem darf die Temperatur nicht zu weit absinken, weil dadurch die Krankheitserreger begünstigt werden (Sitzen auf kaltem Boden).

Täglich laufen durch die feinsten Blutgefäßknäuel der Nieren 1700 l Blut. Dies entspricht einem Viertel der Herzdurchblutung und ist siebenmal mehr als die Durchblutung der Skelettmuskulatur in Ruhe. Entsprechend hoch sind Sauerstoffverbrauch und Wärmebildung in der Niere. Nieren- und Lebertemperatur betragen auf dem Höhepunkt der Tätigkeit zwischen 40 und 41°C, das ist eine »fieberhafte« Tätigkeit, die auch für den Gesamtwärmehaushalt wichtig ist. Wird im Schock die Durchblutung vermindert, so leiden Hirn, Herz und Nieren am meisten. Die dauernde Durchblutung dieser Organe ist lebenswichtig.

Bei der Durchblutung der Gefäßknäuel in den Nieren werden etwa 200 l Flüssigkeit in die Ausscheidungsbecher (Glomeruli) abgesondert. 99% der Absonderungsflüssigkeit und der darin gelösten Stoffe werden jedoch auf ihrem Weg durch die Nierenkanälchen wieder aufgesaugt (rück-resorbiert). Wenn diese Wiederaufnahme der brauchbaren Stoffe gestört ist, kommt es zum Verlust von lebenswichtigen Stoffen (Demineralisation), wie man sie bei langdauernder Einnahme von harntreibenden Stoffen (Diuretika) sehen kann. Auch durch manche Erkrankung der Nieren ist die Rückresorption der Stoffe gestört. (Chin. Nat.-m.)

Der Wasserhaushalt. Er wird entscheidend von den Nieren mitbestimmt. Der Embryo im dritten Monat besteht zu 97% aus Wasser; das Neugeborene enthält 65–75% Wasser, der Erwachsene 58–65%. Die Lebewesen werden im Laufe des Lebens »trockener«. Die Wasserausscheidung durch die Haut liegt bei 0,7 l im Laufe eines Tages, bei Schweiß bis zu 3 l. Wasser verdunstet mit der Atemluft. Auch der Stuhl enthält Wasser: Die Speicheldrüsen sondern 5–10 l Flüssigkeit ab, die zum größten Teil im Dickdarm zurückresorbiert wird.

Fast jeden Tag kommt ein Kranker zu mir, der meint, seine Nieren sondern zu wenig Harn ab. Damit Sie verstehen und selber urteilen können, müssen Sie die angegebenen Zahlen durchdenken. Trinkt jemand am Tag 10 l Bier, so wird er auch bei starkem Schweiß und trockener Luft noch mehrere Liter durch den Harn ausscheiden. Trinkt jemand nicht oder sehr wenig, so bekommt er mit der Nahrung noch viel Wasser, z.B. aus Obst und Kartoffeln, aber wenn er viel schwitzt oder die Luft heiß und trocken ist, so verdunstet er soviel Wasser, daß die Ausscheidung durch die Nieren entsprechend zurückgeht. Der Urin ist dann dunkel und »hochkonzentriert«. Je mehr der Mensch trinkt oder ißt, desto mehr Wasser muß er lassen. Ob Wasser im Körper zurückbleibt, der Kranke also »wassersüchtig« ist, stellt man mit der Waage fest. Jemand, dessen Gewicht über die Zeit gleich bleibt, hält im allgemeinen kein Wasser zurück. Steigt das Gewicht von Tag zu Tag, so wird Wasserzurückhaltung vorliegen. Das ist ein dringender Grund, sich untersuchen zu lassen. Hält jemand sein Gewicht, und scheidet nach seiner Meinung zu wenig Wasser aus, so muß er mehr trinken, dann geht auch mehr Wasser. Versuchen Sie aber nicht, gewaltsam große Mengen über Ihren Durst hinaus zu trinken. Vertrauen Sie Ihrem natürlichen Verlangen mehr als der Theorie.

Die gestörte Ausscheidung

Kranksein bedeutet u.a., daß der Mensch das Vergangene nicht fahren lassen und das Zukünftige nicht erkennen, ergreifen und festhalten kann. Der kranke Mensch schwankt zwischen Vergangenheit und Zukunft: Bald blickt er rückwärts und hält sich an seinen verflossenen Einrichtungen fest, bald wendet er sich der Zukunft zu, schreckt dann aber wieder zurück. Seine Einstellung *ist* zwiespältig, unklar, unsicher, unentschieden, vermischt und verwirrt. Schließlich entscheiden die äußeren »Übermächte«. Wie sollen die Grenzmembranen der Teile »wissen«, ob sie sich schließen oder öffnen sollen, wenn das Individuum unschlüssig ist? Wenn der Mensch sich nicht für das Notwendige entscheiden kann, so bleibt das ganze körperliche System verwirrt (Vegetative Dystonie). Der Mensch bleibt richtungs-, ziel- und hoffnungslos, auch und gerade, wenn er die innere Leere mit »Jubel-Trubel-Heiterkeit« überdröhnt. Damit kann man die Sinnlosigkeit verbergen, aber nicht den Sinn ersetzen.

Das Unvermögen auszuscheiden

Kann ein Kranker das Überflüssige nicht ausscheiden, so heißt das zunächst, daß er an Verstopfung leidet und nicht schwitzen kann. Er kann kein Wasser lassen, vielleicht auch nicht weinen, nicht sagen, was er auf dem Herzen hat. Das Denken bleibt an einem Punkt haften; Gefühle, die ihn einmal ergriffen haben, sind hartnäckig. Er kann nicht aus »seiner Haut«, Sitz und Besitz, Einrichtungen, Vor- und Einstellungen nicht verlassen. Das sind Kranke, die sich nicht lösen können. Sie sind nicht frei, das Notwendige zu begreifen.

Meist ist die harmonische Aufeinanderfolge von Arbeit und Ruhe, Hören und Tun, Einatmung und Ausatmung, Ernährung und Ausscheidung gestört. Im Leben wechseln Halt und Bewegung, Stand und Schritt. Wenn es Zeit ist, muß man das Vergangene loslassen, um die Hände für das Zukünftige freizumachen. Das Unvermögen loszulassen, besteht im wesentlichen in der Weigerung, seinen jetzigen Standpunkt aufzugeben. Dabei ist es gleichgültig, ob man von den Umständen festgehalten wird oder ob man sich anklammert. »Die Zukunft erscheint nicht als eine Kette von Tod und Wiedergeburt, sondern als bloße Bedrohung seines gegenwärtigen Systems von Idealen, Tugenden, Absichten und Vorteilen, das um jeden Preis festzuhalten und zu sichern sei« *(Campell).* Wer es nicht übers Herz bringt, etwas aufzugeben, sich selbst oder andere zu »enttäuschen«, dem hilft nicht einmal der durch Hälmchenziehen, Horoskop oder Orakal provozierte Entschluß zum Weiterkommen: Es wird ihn immer reuen.

Vom Wesentlichen des Lebens geschieden

Seit wir uns vom Ganzen geschieden haben, z. B. dadurch, daß wir es in Leib und Seele »teilen« *(Descartes),* schreitet die Auflösung fort. Zwar wissen wir von den Teilen immer mehr, aber vom Ganzen verstehen wir immer weniger. Indem wir das unteilbare Individuum in Gedanken teilen, stehen wir fassungslos vor dem Ganzen. Krankhaft ist, daß wir das Ganze gar nicht mehr vermissen, wir bemerken sein Ausscheiden aus unserer Welt nicht. Damit, daß wir uns auf die Teile eingestellt haben, ist entschieden, daß uns Fragen des Ganzen nichts mehr angehen. Zwar überschreiten die Teilchen unser Fassungsvermögen - auch wenn es sich des Computers bedient; wir trösten uns damit, daß wir eines Tages »alles« wissen und daß dann die Welträtsel gelöst sein werden. Anscheinend hat die ärztliche Wissenschaft kein Gefühl dafür, daß sie die wesentliche Eigenschaft ihres Gegenstandes, die Unteilbarkeit des kranken Menschen, außer acht läßt. Ihre Aufmerksamkeit wird voll beansprucht von einer unübersehbaren Menge von Teilbeobachtungen, die keine Beziehung zum lebensnotwendigen Ganzen haben. Freilich übersteigt die Erkenntnis des »Ganzen« unser Fassungsvermögen, aber das ist nicht schlimm:

> *Hahnemann* hat uns den Umgang mit dem Ganzen über die Erscheinungen gelehrt, wenn man sie vorurteillos beobachtet.

Arzneibild

▶ Natrium muriaticum (Natr-mur., Kochsalz)

Im Natrium muriaticum Bild erscheint das Unvermögen, die krankhaften Fixierungen aus der Vergangenheit aufzulösen. Als Mittelpunkt wird Zurückkommen und Beharren auf vergangenen, unangenehmen Dingen angegeben (Ambr., Arg.-n. Calc., Cocc., Sep., Sulf.). Dieser Mensch kann von früheren Enttäuschungen nicht loskommen. Das können lang zurückliegender und noch nicht erlöster Liebeskummer sein, Sorgen, Demütigungen, Kränkungen, Schicksalsschläge, Schreckfolgen. Wie immer, muß man dabei nicht nur an äußere Auslöser, den »Schuldigen« denken, sondern auch an die »Anfälligkeit« des Betroffenen.

Natrium muriaticum kann nicht vergessen, ist übelnehmend, nachtragend, abweisend, verschlossen, wortkarg, wenig umgänglich, auf Abstand bedacht und will in Ruhe gelassen werden. Der Versuch, zu trösten, verschlimmert seinen Zustand.

Dieses Festhalten an unangenehmen Gedanken verstärkt die Grundstörung und erschöpft das System.

Bei Natrium muriaticum ist einerseits die Membrandurchlässigkeit von außen nach innen gestört. Dieser Mensch ist überempfindlich gegen äußere Sinneseindrücke, munter (sanguinisch), wobei Arbeit anfangs gut tut, dann gespannt hastig, ungeduldig, schließlich langsam, müde und ungeschickt, so daß er Gegenstände fallen läßt. Er kann nicht mehr denken, vergißt, was er sagen wollte, bekommt Kopfschmerzen und Schwindel bis zu schweren Anfällen von Flimmermigräne, Zickzacklinien im Gesichtsfeld und Taubheit von Zunge und Lippen. Die Reizüberflutung verursacht Herzklopfen (anfallweises Herzjagen), der Kranke zuckt vor Schreck zusammen, braust auf, wird zornig wegen Kleinigkeiten, sieht alles von der schlimmsten Seite, und noch im schlechten Schlaf und im Wahn beherrscht ihn die Furcht vor Mord, Feuer, Schlägerei, Einbrechern und Gift, vor Unheil und Unglück.

Andererseits ist bei Natrium muriaticum die Membrandurchlässigkeit von innen nach außen gestört: Er verliert Wasser, Säfte, Mineralien und Eisen und scheidet zuviel Urin aus. Einerseits kann der Kranke das Wasser nicht halten (Inkontinenz), andererseits muß er bei Harndrang oft lange warten, bis der Urin geht. In Gegenwart Fremder kann er kein Wasser lassen. Zeitweilige Durchfälle - besonders morgens und um 11 Uhr mit Anfällen von Heißhunger - wechseln mit Verstopfung. In seiner Abwehr von Substanzverlusten wird der Mensch zurückhaltend, verschlossen, abweisend, kann nicht weinen und fürchtet den Verstand zu verlieren. Sobald die Ausscheidung in Gang kommt, ist er erleichtert. Der Kranke magert vom Hals nach unten ab (Lyc.).

Durch die gestörte Grenzmembranfunktion wird das Zufällige und Überflüssige begünstigt und das Notwendige erschwert. Ist der Mensch unentschlossen, in Zweifel und Unklarheit, dann fehlen den Grenzmembranen die ordnenden Impulse. Daß Natrium muriaticum am »Auslöser« hängen bleibt - an dem, der enttäuscht hat -, bedeutet, daß die Einstellung erstarrt ist und der Mensch keine Lösung mehr findet. Erst wenn er seine fixierte Einstellung bemerkt und sich von den Krankheitszeichen ansprechen läßt, wird der Weg frei zu dem Heilmittel, das ihn nicht selten schnell, sicher und sogar angenehm heilt (evtl. Ignatia, Acid-phos.). Mit dem neuen Selbstvertrauen kann er das Vergangene hinter sich lassen.

Erkrankungen der Harnorgane

Die akute Nierenentzündung. Nierenentzündung verursacht gewöhnlich *keine* örtlichen Schmerzen. Erscheinungen wie Blässe, Müdigkeit, Kopfschmerzen, Fieber weisen nicht unbedingt auf die Nieren hin. Am meisten fällt die Schwellung (Ödem) am Augenbereich und an den Sprunggelenken auf. Der Durst ist groß, die Urinausscheidung gering. Im trüben Urin sind meist Eiweiß, rote und weiße Blutkörperchen, Zylinder nachzuweisen. Der Blutdruck ist dabei erhöht, doch kann man sich weder darauf noch auf den einmaligen Harnbefund verlassen. Das muß der Kranke wissen, daß er weiter darauf achtet.

Mit einer Nierenentzündung muß man nach Mandelentzündungen rechnen, auslösend können auch Zahnherde, Kiefer- und Stirnhöhlenentzündungen und Allgemeinerkrankungen wie Scharlach, Masern, Diphtherie sein. Besonders gefährlich sind »leichte« unbeachtete Erkrankungen dieser Art, die heute häufiger sind als die schweren Verläufe. Man muß in den zwei bis sechs Wochen *nach* solchen Erkrankungen den Urin aufmerksam beobachten. Ist er frisch gelassen trüb, so muß man ihn untersuchen. Um unnötige Aufregungen zu ersparen, möchte ich noch anmerken, daß es bei »Nervösen« einen milchigen Urin gibt, der durch Ausfall von phosphorsaurem Kalk bei alkalischer Reaktion veursacht ist. Der ist harmlos, ebenso wie der trübe Urin nach längerem Stehen.

Bei Mandelentzündung usw. rate ich vorbeugend zu Frischkost (salzarm, keine scharfen Gewürze, kein Alkohol), seither habe ich keine Nierenentzündungen mehr gesehen, sowenig wie Gelenkrheumatismus mit Herzentzündungen. Eine besondere Bedeutung scheint mir Vollkorn zu haben. Tritt eine Nierenentzündung auf, so rate ich zur gleichen Ernährung wie bei der Vorbeugung. Von den homöopathischen Mitteln der Hausapotheke ist zunächst Aconit D6 angezeigt, besonders wenn erschwertes und schmerzhaftes Wasserlassen vorliegt, das mit Angst und Unruhe verbunden ist. Sobald Schweiß ausbricht, folgt Belladonna D6, bei deutlicher, oft glasiger Schwellung um die Augen und nachlassender Harnausscheidung Apis D4–D6, alle Stunde 1 Tabl. nach Durst.

> Selbstverständlich gehört eine Nierenentzündung in ärztliche Behandlung.

Blasenentzündung und Blasen-Nierenbecken-Entzündung. Bei akuter Blasenentzündung ist außer Aconit und Belladonna das bekannteste Mittel Cantharis D6 3mal 1 Tabl. (ähnlich wie Cannabis ind.). Dabei sind heftige Schmerzen in Blase und Harnröhre vorhanden. Die Schmerzen sind brennend, stechend und schneidend. Der Reiz kann so groß sein, daß ständig tropfenweise Harn abgeht und der Schmerz durch das Wasserlassen nicht gemildert wird. Die Umgebung ist mitgereizt: Mit dem Harndrang zusammen gibt es Stuhldrang, das männliche Glied wird schmerzhaft und steif, Eichel und Vorhaut sind entzündet, die Absonderungen sind schleimig-eitrig und blutig. Wenn die Entzündung die Harnwege aufsteigt, kommt es zur Nierenbeckenentzündung mit Schmerz im Nierenlager, der auf Klopfen und Drücken schlimmer ist. Das Fieber ist meist hoch. Wiederholen sich diese Entzündungen öfters, so spricht man von chronischer Blasen-Nierenbecken-Entzündung (Pyelonephritis). Diese Erkrankung ist bei Frauen häufiger.

Was können Sie tun, um diese Krankheiten weitgehend zu vermeiden?

1. Halten Sie nie Harn zurück. Jede Stauung des Harns vergrößert die Gefahr der Entzündung.
2. Sitzen Sie nicht auf kalten oder gar naßkalten Unterlagen und holen Sie sich keine kalten Füße. Wenn im Sommer bei Unterkühlung und Durchnässung Blasenkrämpfe mit heftigem Harndrang auftreten, ist Dulcamara D4 das erste Mittel: Wer aus Erfahrung weiß, daß er sich leicht in diesem Bereich »verkühlt«, sollte das Mittel vorrätig halten. Die heutige Mode, die Gürtellinie nackt zu lassen, verursacht leicht eine Verminderung der Nierendurchblutung.
3. Alkohol, Kaffee, scharfe Gewürze und besonders Senf, Petersilie und Spargel reizen die Harnwege; ein gutes Mittel bei Reizblase ist Petersilie als Petroselinum D3. Freunden Sie sich mit der gesunden Ernährung an. Das ist die weitaus beste Vorbeugung für jede Krankheit.

Manche Menschen erkranken leicht im Bereich der Harnwege, des Mastdarmes und der Geschlechtsorgane (Merc., Phos., Sep.). Sie neigen zu Nieren- und Gallenblasensteinen. Die Behandlung dieser chronischen Kranken ist dem Arzt zu überlassen.

Wenn ein Katheter die Blasenentzündung ausgelöst hat, gebe ich immer zuerst Arnica D2 bis D6. Bei der chronischen Blasen-Nierenbecken-Entzündung ist mit erheblichen Blut- und Säfte-Verlusten (Geburt, Stillen) zu rechnen, die zusammen mit anderen körperlichen und seelischen Anstrengungen eine Erschöpfung der Abwehr bewirken. Dieser Lage entsprechen China D6 und Hochpotenzen von Natrium muriatiacum in großen Abständen.

Von der Antibiotika- und Sulfonamidbehandlung kommt man nach meiner Erfahrung bei Harnwegsinfekten am schwersten los, obwohl gerade hier regelmäßig Rückfälle auftreten. Am Anfang meiner ärztlichen Tätigkeit habe ich bei einem Kleinkind innerhalb von zwei Jahren acht schwere Blasen-Nierenbecken-Entzündungen gesehen, wovon die Hälfte im Krankenhaus mit den jeweils modernsten Mitteln behandelt wurden. Zuletzt hielt die Mutter die Kleine dauernd im Bett aus Angst vor dem nächsten Rückfall, der aber trotzdem kam. Erst durch Nierenmittel, die Solidago und Berberis enthielten, sah ich im Laufe der Zeit hier und bei anderen eine Verminderung der *Anfälligkeiten* auch für Nierensteine, die mit diesen chronischen Entzündungen zusammenhängen.

Gabe: Solidago D3 dil., 3mal tägl. 10 Tr., ebenso Berberis D3 dil. In vielen Nierentees sind diese beiden Mittel enthalten, z. B. unter dem Namen Virgaurea (von Solidago virgaureae). Leider konnte ich mit diesen und anderen Mitteln die Rückfallneigung nicht ganz vermeiden; bei sehr heftigen Erkrankungen sollte man notfalls Antibiotika einsetzen. Die Dauerbehandlung mit Antibiotika wird inzwischen auch von der klinischen Medizin nicht mehr empfohlen. Nach *Berning* wäre das Problem zu lösen mit Verstand und Wille.

Ich füge hinzu: und vernünftiger Ernährung. Aber an zwei von diesen drei Dingen fehlt es meistens, aber vor allem die Geduld, das richtige Mittel zu suchen, bis man es gefunden hat.

Nierensteine. Die Grundbehandlung stimmt mit der bei Blasen-Nierenbekken-Erkrankung überein. Es muß immer mit einem Zusammenhang gerechnet werden.

Für den plötzlichen Schmerzanfall bei Nierensteinen, plötzlichen, heftigen, andauernden Schmerzen, die ebenso plötzlich verschwinden, und wiederkommen, klopfenden Pulsen und rotem Gesicht ist Belladonna D6 zu empfehlen.

Magnesium phosphoricum D6 ist bei plötzlichen Bauchschmerzen, die zum Zusammenkrümmen zwingen, anzuwenden, Colocynthis hat ähnliche Zeichen wie Magnesium phosphoricum. Man bevorzugt Colocynthis, wenn der Schmerz links sitzt. Auch Nux vomica D6 kann bei Bauchkrämpfen helfen.

Ich bin im Laufe der Zeit mit schweren Betäubungsmitteln bei Koliken immer zurückhaltender geworden. Durch ein solches Mittel wird die Eigentätigkeit gelähmt. Das gibt zwar eine Schmerzpause, aber das natürliche Herausschaffen des Steines wird gestört. Meine »alten Hasen«, die schon viele Steine »geboren haben«, ziehen die homöopathische Behandlung auch im akuten Anfall vor. Insgesamt verläuft die Kolik kürzer, leichter und ist besser überschaubar. Wer im akuten Schmerz eine Betäubung vorzieht, dem will ich nicht widerreden. Anmerken möchte ich, daß man heute allgemein der Ansicht ist, daß das früher »normale« Schmerzmittel Phenacetin die Nieren auf Dauer schädigt.

Blasenschwäche und Bettnässen. Die Blasenschwäche gehört zu den schwierigen Leiden, die den Menschen um so mehr belasten. Natürlich wird man von Fall zu Fall entscheiden müssen, welches Mittel am besten paßt.
Gabe: Für schwache blutarme Kinder, die häufig die Farbe wechseln, ist das erste Mittel Ferrum phosphoricum D12, abends 1 Tabl. Bei Einnässsen im ersten Schlaf sind Sepia D6 und Causticum D12 anzuwenden sowie Equisetum D4 dil., 2mal 10 Tropfen, das man immer auch dann versucht, wenn keine besonderen Symptome auf ein anderes Mittel hinweisen.

Wichtig ist Verständnis für das Kind. Wie viele Erwachsene wären denn in der Lage, auf Kommando Wasser oder Stuhl zu machen? Mancher kann in Gegenwart Fremder kein Wasser lassen (Natr-mur.). Auch beim Kind genügt es nicht, den Topf zu holen: Mit Wille und Sturheit ist nichts zu machen. Man muß den empfindlichen Augenblick bemerken, wo das Kind den »Anschluß« an diese soziale Gewohnheit findet; durch unzeitiges und strenges Erzwingenwollen kann man alles verderben. Ich denke, daß die ungelösten Probleme der Jugend im Alter wieder erscheinen. In diesem Zusammenhang möchte ich auf Causticum eingehen.

▶ Causticum (Caust., Ätzkalk)

An den Harnsymptomen dieses Mittels tritt als Grundzug die *Widersprüchlichkeit* zutage. Einerseits hat Causticum dauernd erfolglosen Harndrang, muß lange warten und pressen; auch dann geht der Harn nur unvollständig oder unterbrochen. Andererseits geht das Wasser unwillkürlich ab, z.B. beim Husten oder nach Operationen, und träufelt unbemerkt nach. Dieses Auseinandertreten der gegensätzlichen Kräfte, die *nahtlos* zusammenwirken müssen, wenn der Mensch keine Symptome haben soll, betrifft bei Causticum nicht nur das Wasserlassen. Auch der Stuhl drängt und kommt dann doch nicht. In den Gliedern ist einerseits die Muskelspannung erhöht (Gefühl, als seien die Glieder zu kurz), was sich bis zu Zittern und Krämpfen steigern kann. Andererseits empfindet der Kranke eine lähmende Schwäche, es kommt auch zu wirklichen Lähmungen, z.B. nach Schlaganfall, oder lähmungsähnlichen Zuständen, z.B. Stimmbandlähmung mit Heiserkeit.

Im sozialen Bereich ist das Auseinanderweichen der Kräfte am deutlichsten. Causticum ist einerseits hochgradig mitleidig, überempfindlich gegen das Unglück anderer, weint aus Sympathie, ist in Sorge um andere und hat Verlangen nach Gesellschaft. Andererseits ist Causticum hochmütig, herrisch, ehrgeizig, mißtrauisch, eigensinnig, widerspenstig, zum Widersprechen geneigt. Die Gegenwart Fremder verschlimmert. Im seelischen Bereich steht die hoffnungslose ängstliche Schwäche in unsinnigem Gegensatz zur beständigen Unruhe (Rhus-t.). Das Kind ist unerträglich empfindlich und ärgert sich wegen jeder Kleinigkeit. Nächtliche Unruhe in den Beinen.

Gabe: Causticum D12 Tabl. (1-2mal am Tag) bewährt sich bei allen Zuständen, bei denen die polaren Kräfte auseinandertreten: Bettnässen, Schwierigkeiten, das Wasser zu halten, Heiserkeit morgens (Halsgrippe), Lähmung und Schlaganfall, Warzen und trockene Hautausschläge (feuchte Luft bessert!).

Vorsteherdrüsenvergrößerung (Prostataadenom). Bei den alten (auch älteren!) Herren, die ihr Wasser schwerer loswerden, liegt gewöhnlich eine Vergrößerung der Prostata vor. Besonders nachts müssen sie oft lange warten, bis der Harn geht. Sie müssen pressen, es tröpfelt nach, ohne daß sie es merken, das beschmutzt die Wäsche und riecht.

Das Bild ist u.a. auch bei Causticum vorhanden, wie ich eben beschrieben habe. Bei Ausnahmezuständen kommt es nicht selten zur Katastrophe: Da wurde Alkohol getrunken, was einerseits die Wasserausscheidung fördert und das Gefühl für den Drang vermindert. Die anwesende Gesellschaft war ein Grund mit, nicht zum Wassermachen zu gehen. Jetzt schnappt das

»Ventil« zu, »es geht nichts mehr«, und nach stundenlangen Qualen wird mitten in der Nacht der Arzt das Wasser mit dem Katheter holen müssen. Anfangs hofft man noch, daß es bei dem einen Mal bleiben werde, aber meist muß man operieren, wenn die Restharnmenge über 200 ml liegt, oder einen Dauerkatheter legen.

Am gefährlichsten sind die erwähnten Ausnahmezustände (Geburtstagsfeiern, Hochzeiten u.ä.). Auch ein wassertreibendes Mittel oder ein Beruhigungsmittel können den gleichen »Dienst« tun. Man muß regelmäßig Harn lasen, damit die Blase nicht übervoll wird, und reizende Mittel vermeiden (Alkohol usw.).

Weitere »Prostatamittel« sind Barium carbonicum, Conium, Calcium, Digitalis, Magnesium carbonicum.

Von den homöopathischen Mitteln hat sich Sabal serrulatum D2 dil. bewährt.

Gabe: Sobald Störungen beim Wassermachen auftreten und keine Anzeige für Operation gegeben ist, rate ich zur mehr oder weniger dauernden Einnahme von Sabal serrulatum D2 bis D4, tgl. 3mal 10 Tropfen. Mit diesem Mittel geht es über Jahre gut, man erspart sich den Dauerkatheter.

Heilung durch Ausscheidung

Wer das Lernen übt, vermehrt täglich, wer den Sinn übt, vermindert täglich *(Laotse)*. Die Zukunft gehört der Heilung. Dabei wird das überkommene Ungleichgewicht verlassen und die neue Weise möglich, indem die Menschen ihren Spielraum nützen und sich auf die veränderte Welt *neu* einstellen.

Die Menschen meinen, sie könnten die Welt verändern. Eine junge Kollegin hat mich einmal herausgefordert: »Sie werden zugeben, daß diese ungerechte Welt nicht so bleiben kann!« Ich gab das zu, hatte aber eine Frage: »Sind Sie in Ordnung?« Die Antwort kam sofort: »Nein, ich bin nicht in Ordnung!« Ich war geneigt, vor soviel jugendlicher Einsicht den Hut zu ziehen, – aber die Schlußfrage konnte ich nicht zurückhalten: »Können Sie die Welt in Ordnung bringen, wenn Sie selbst nicht in Ordnung sind?« Nach einer Zeit des Nachdenkens kam die heftige Reaktion: »Dann wird's nie anders!« Ich erlaube mir, diese Hoffnungslosigkeit nicht zu teilen. Allerdings warte ich nicht auf große Helden, die die Welt heilen, ich traue den »kleinen Leuten«. Sie bemerken von Zeit zu Zeit ihre falsche Einstellung und ändern sie dadurch, daß Sie das Notwendige erkennen und tun. Wenn Sie auf diesem Weg manchmal stecken bleiben, kann Ihnen *Sulfur* weiter helfen.

Auch die Heilkunde bewegt sich weiter. Ich war noch im Banne der herrschenden Lehrmeinung, als ich mich ums Jahr 1945 mit der Furunkulose auseinandersetzen mußte. Penicilin gabs für uns noch nicht, aber Sulfonamide. Ich bemühte mich, die Erreger durch Desinfektion, Kontrolle und Abdecken abzutöten, hatte aber keinen Erfolg. Auch Eigenblutinjektionen, Staphar (eine Art Impfung) und Schwefelspritzen waren nicht gänzlich wertlos, aber ungenügend. Nach dem Berliner Chirurgen *Bier* gab ich schließlich Sulfur D4 3–5 mal eine Tabl. Danach heilte die Furunkulose ab.

Im Laufe der Jahrtausende gab es viele Säuberungsmethoden in der Welt und in der Heilkunde, aber keine hat die Welt rein gemacht. Im Gegenteil: Heute ist die Umweltverschmutzung mehr im Gespräch als je. Diese moderne Sauberkeit trägt wesentlich zur Verschmutzung der Gewässer bei und ist wegen ihrer Nebenwirkungen in Zweifel geraten: Durch Seife wird der Säuremantel der Haut verletzt, Keime dringen in die verdünnte Hornschicht leichter ein. Nach einer Zeit einseitiger und gewalttätiger Maßnahmen wie Aderlässe, Abführen, Purgieren, Erbrechen, Schröpfen, unterdrückt man heute neben anderen Symptomen möglichst alle Absonderungen und Ausscheidungen. Es ist jedoch nicht sinnvoll, mit gewaltigen Reinigungsprogrammen viel Staub aufzuwirbeln: Wir müssen bei uns selbst anfangen. Wenn der Mensch nicht fähig oder willens ist, sein Herz zu reinigen, d.h. seine Einstellung nach der sich verändernden Wirklichkeit zu richten, dann ändert sich seine Welt nicht. Die Natur hilft uns dabei, indem sie uns über das unterrichtet, was ausgeschieden werden muß.

War die Absonderung verdrängt (im Sinne vom verdrängten Komplex bei *Freud)* und beginnt sie wieder, so wird das als Zeichen der Heilung vom homöopathischen Arzt freudig begrüßt. Ich habe Ihnen eine Krankengeschichte vorgetragen, wo die Kopfschmerzen durch Gelsemium geheilt wurden und danach ein Hautausschlag wieder auftrat. Eine weitere Krankengeschichte (Ars.) sollten Sie sorgfältig nach allen Seiten durchdenken: Sie werden dann verstehen, was Verdrängung, Erstverschlimmerung und Heilung ist, auch was es bedeutet, auf die Zusammenhänge über Jahre hinweg zu achten.

Praktisches Beispiel: Schmerzen im Arm

▶ Arsenicum (Ars.)

Im Jahre 1949 kam ein 63jähriger Patient wegen einer schweren Bartflechte in die Klinik und wurde dort mehrfach intensiv mit einem Sulfonamid behandelt. Der Ausschlag war nach zwei Monaten geheilt, aber in der Folgezeit erkrankte der Mann an schweren rechtsseitigen Armschmerzen, die von mir, verschiedenen anderen Ärzten, Fachärzten und in Krankenhäusern in den Jahren 1950 bis 1955 vergeblich behandelt wurden.

Im April 1955 kam der Mann wieder in meine Sprechstunde in der menschlich verständlichen Stimmung: »So kann das nicht weitergehen!« Er schlafe abends ein und wache nach ein bis zwei Stunden an Schmerzen im rechten Arm auf, die wie Feuer brennen. Es treibe ihn aus dem Bett in die Küche, wo er seinen Arm in heißes Wasser halte, dann werde es langsam besser.

Tagsüber seien meist nur die Fingerspitzen etwas pelzig. Neuerdings fange der linke Arm auch an zu schmerzen. Der Zustand sei einfach unerträglich.

Ich gab dem Mann 4 Tabl. Arsenicum album D12 mit. Er sollte jeden Abend eine Tablette lutschen. »Und das soll helfen?« Er dachte wohl an die Hunderte von Tabletten und Spritzen, die er im Laufe der Jahre erfolglos genommen bzw. bekommen hatte.

Nach der ersten Tablette wachte er um 23 Uhr mit heftigem Brennen im rechten Arm auf und ging den üblichen Weg zum heißen Wasser. Die Beschwerden waren schlimmer als sonst. In der zweiten Nacht sei es »einfach fürchterlich« gewesen. Seine Frau berichtete, er habe getobt und geschimpft, die »Teufelstabletten« weggeworfen und geschworen, nie mehr welche zu nehmen.

Als ich diese Mitteilung am fünften Tag nach der Behandlung bekam, wußte ich, daß wir auf dem rechten Weg waren. Die Erstverschlimmerung war klassisch. Ich sagte dem Kranken, daß ich in etwa 14 Tagen nochmals eine Tablette geben müßte, was er ablehnte. Nach der angegebenen Zeit waren die Schmerzen bis auf ein leises Brennen in den Fingerspitzen verschwunden. Er begann jetzt an die Heilung zu glauben und holte vorschlagsmäßig die letzte Tablette ab. Die Restbeschwerden schwanden in den nächsten Tagen ganz und traten bis zu seinem Tod zehn Jahre später nicht mehr wieder auf. Dafür bekam er eine Furunkulose an Unterbauch und Gesäß, worauf mir der Zusammenhang zwischen dem Ausschlag vor fünf Jahren und den rheumatischen Schmerzen klar wurde. Der Mann war auffallend geduldig, bis die Haut nach zwei Monaten unter Schwefel (Sulf. D4) abgeheilt war; er war auch in dieser Hinsicht »geheilt«.

▶ Sulfur (Sulf., Schwefel)

Sulfur ist das große Mittel bei Ausscheidungsproblemen und entsprechend problematisch.

Sulfur ist höchst unzufrieden (wie z.B. Natr. mur., Merc., Calc. phos.). Er ist ruhelos, voll von verführerischen Ideen, Vorschlägen und Plänen, geschäftig, ungeduldig, hastig, leidenschaftlich. Sulfur ist es auf keinem Standpunkt wohl, er hat an allem etwas auszusetzen und ist ein periodischer Weltverbesserer mit Verlangen nach geistiger Arbeit, Frischluft und Bewegung. Es treibt ihn Schritt für Schritt weiter. Die Arnzeimittellehren sagen ihm Begabung für Philosophie nach.

Sulfur zieht sich gern auf sich selbst zurück, grübelt in Gedanken versunken über Gott und die Welt nach, tadelt sich und andere, ist widerspenstig, eigensinnig, mißtrauisch, dem Vergnügen abgeneigt, meidet Umgang und wird zornig, wenn man ihn stört. Die Zeit vergeht ihm zu schnell, er verliert den Zusammenhang mit der alten Welt, ohne an sein Ziel zu kommen.

Andererseits ist Sulfur träge, faul, langsam, fängt alles an und bringt nichts zustande. Er ist schlaksig, hat physisch und psychisch kein Stehvermögen, ist unordentlich, unzuverlässig in seinen Versprechungen, vergammelt, schmutzig, verwahrlost, versumpft, trinkt heimlich. Tagsüber ist er schläfrig, vergeßlich, zerstreut, interesselos, am Abend hebt sich die Stimmung, aber er weiß nicht, was er anfangen soll. Sulfur wird Selbstsucht, Überheblichkeit, Hochmut, Undankbarkeit, Gefühllosigkeit und Hartherzigkeit zugeschrieben.

Auch hier müssen wir Vorurteile ausscheiden, um uns der Wirklichkeit zu nähern. Zum Beweis für die Unreinlichkeit von Sulfur führt man gerne seine Abneigung gegen Waschen und Baden an, besonders bei Kindern. Man übersieht dabei, daß Sulfur gewissenhaft in Kleinigkeiten ist und für übertriebene Reinlichkeit Arsenicum, Silicea und Sulfur, angegeben sind.

Nach der homöopathischen Erfahrung bringt Sulfur Bewegung in festgefahrene Zustände, es entschlackt. Leider können nicht nur Zustände krank sein, sondern auch Lebensabläufe. Einerseits sind bei Sulfur diese Abläufe schnell, unordentlich, schlampig, andererseits irrig und trödelig, wie bei einem Bach, der bald reißend strömt, bald versumpft und steht. Das gilt auch für die leiblichen Vorgänge. Wenn Sulfur um 11 Uhr von Heißhunger überfallen wird, so bedeutet das nicht, daß der Mensch ein schnelles und genaues Gefühl für seine Bedürfnisse hat, sondern, daß er seine Bedürfnisse nicht rechtzeitig und ausreichend beachtet und dann zur Unzeit von ihnen überfallen wird. Die Ruhelosigkeit zeigt keine übermäßige Lebenskraft an, sondern eher, daß die Kräfte nicht rechtzeitig zusammengefaßt werden zu einer entscheidenden Handlung, und nun beunruhigen voreilige, nicht eingeordnete oder nachträgliche Kräfte den Menschen. Daß Sulfur unzufrieden ist, kann bedeuten, daß er sich von der Ungenüge abwendet und einen neuen Sinn sucht; meist bedeutet es jedoch, daß er seine Kraft nicht auf ein Ziel einigen kann. Im Vergleich mit der technischen Zeit eilt er teils voraus, teils hinkt er hinterher. Die Unordentlichkeit bedeutet, daß er sich nicht genau an die Wirklichkeit anpaßt.

Die unwillkürliche Hast in den Bewegungen bedeutet, daß dieser Mensch intensiv sucht, aber er weiß nicht was. Er hat den Boden unter den Füßen verloren und ist gleichgültig gegen alle Dinge der Welt, die er verlassen hat; er hat keinen Unternehmungsgeist im wirtschaftlich-technischen Sinn. Seine Aufmerksamkeit scheint auf die Zukunft gerichtet zu sein, die er aber nicht sieht. Daß er manchmal Vorstellung und Wirklichkeit nicht unterscheiden kann, zeigt mir, daß der Geist in einer labilen Phase zwischen Stoff und Idee schwankt, zwischen dem Gewordenen und dem Werdenden. Daß er sich an Bibelstellen klammert und sie wörtlich nimmt, mag andeuten, daß er anderen Halt verloren hat. Dieser Mensch ist in seiner hoffnungslosen Verwirrung einerseits fanatisch um sein Seelenheil bemüht, andererseits leidet er unter religiösem Verfolgungswahn (Veratr., Anac.) Sulfur bringt die verdeckten Widersprüche und die ungelösten, vertagten und verschobenen Probleme wieder zutage. *(s. S. 143)*

Praktisches Beispiel: Hautkrankheit

Ich hatte vor etwa 30 Jahren ein Mädchen zu behandeln, das bereits mit 19 Jahren invalidiert war. Es litt an einer Hautkrankheit (pflaumengroße Knoten an Gesicht, Armen und Händen), die sich über Jahre hinzog. Ich führte die von der Klinik angeordnete Behandlung durch, bis die junge Patientin am Schluß hochgradig abgemagert war und sich weigerte, nochmals in die Klinik zu gehen. Nachdem ich Chin-a D6 gegeben hatte, bekam das Mädchen solchen Appetit, daß es nach einem Monat seinen Gewichtsverlust aufgeholt hatte. Die Hauterkrankung war unverändert. Nach einer Dosis Schwefel bekam sie Schüttelfrost, und das hohe Fieber dauerte wochenlang. Der Appetit blieb unverändert gut.

Nach einer nochmaligen Schwefelgabe trat Gelbsucht auf. Als ich drei Tage später wiederkam, war die ganze Hauterscheinung verschwunden.

Das war merkwürdig, zumal die Abwehrkraft der Kranken schon längere Zeit erschöpft war. Sulfur hatte bewirkt, daß das Fremde über Nacht den Platz räumte; er hatte dem kranken Organismus geholfen, zwischen eigen und fremd wirksam zu unterscheiden.

Ausgewählte allgemeine Mittel der Homöopathischen Hausapotheke

Name	Abkürzg.	Gabe	Häufigste Anzeigen
Aconitum	Acon.	D6 glob. alle 10 Min. 5 Kügelchen	plötzliches hohes Fieber
Ambra	Ambr.	D3 Tabl. 3 x 1 Tabl.	Schlaflosigkeit
Antimonium crudum	Ant-c.	D6 Tabl. 3 x 1 Tabl.	verdorbener Magen
Apis mellifica	Apis	D4 Tabl. alle 2 St. 1 Tabl.	Schwellung, glasig
Argentum nitricum	Arg-n.	D12 dil. 1–2 x 10 Tr.	Lampenfieber
Arnica	Arn.	D2, D6 Tabl. 5 x 1 Tabl.	körperliche Verletzung
Arsenicum album	Ars.	D6 Tabl. 3 x 1 Tabl.	Fleischvergiftung
Belladonna	Bell.	D6 glob. 1–2 x 5 Kügelchen	hohes Fieber
Bryonia	Bry.	D6 Tabl. 3 x 1 Tabl. D3 Tabl. 5 x 1 Tabl.	Hexenschuß, Bewegung verschlimmert
Camphora	Champh.	D2 Tabl. 3 x 1 Tabl.	Erkältung, Kollaps
Cantharis	Canth.	D6 Tabl. 3 x 1 Tabl.	akute Blasenentzündung
Causticum	Caust.	D12 Tabl. 1–2 x 1 Tabl.	Halsentzündung trocken wie wund
Allium cepa	All-c	D6 Tabl. 5 x 1 Tabl.	Schnupfen
Chamomilla	Cham.	D6 glob. alle Stunden 5 Küg.	Zahnen
Coccolus	Cocc.	D6 Tabl. alle 2 Stunden 1 Tabl.	Fahrkrankheit
Cuprum aceticum	Cupr-ac.	D12 dil. abends 10 Tr.	nächtliche Wadenkrämpfe
Euphrasia	Euphr.	D2 Tabl. 5 x 1 Tabl.	Augenentzündung Schnupfen

Name	Abkürzg.	Gabe	Häufigste Anzeigen
Ferrum phosphoricum	Ferr-p.	D12 Tabl. 1–2 x 1 Tabl.	mittleres Fieber
Gelsemium	Gel.	D12 Tabl. 1–3 Tabl.	Kopfschmerz
Magnesium phosphoricum	Mag-p.	D6 Tabl. 3 x 1 Tabl.	Bauchkrämpfe
Mercurius solub.	Merc-s.	D12 Tabl. 1 x tägl.	eitrige Mandeln
Nux vomica	Nux-v.	D6 Tabl. 3 x 1 Tabl. D30 Tabl. 1 x tägl.	Arznei-unverträglichkeit
Phosphorus	Phos.	D12 dil. 1 x 10 Tr.	hellrote Blutung
Rhus toxicodendron	Rhus-t.	D6 Tabl. 3 x 1 Tabl.	»Rheuma« Bewegung bessert
Spongia	Spong.	D6 Tabl. 3 x 1 Tabl.	Krupphusten
Sulfur	Sulf.	D4, D6 Tabl. 3 x 1 Tabl.	unterdrückte Symptome
Veratrum album	Verat.	D6 Tabl. 3 x 1 Tabl.	Kollaps, kalt. Schweiß
Zincum valerianic.	Zinc-val.	D6 Tabl. 1 Tabl. abends	Unruhe in den Beinen abends

Die besonderen Mittel werden für jeden einzelnen am besten vom Hausarzt bestimmt.
Alle Mittel muß man *vor* dem Essen auf die Zunge geben, *nicht* schlucken.

Arzneimittelverzeichnis